このコミックスは『こちら葛飾区亀有公園前派出所』連載1000回達成記念企画“みんなで選ぼう『こち亀』ベスト10!!”（週刊少年ジャンプ1996年37・38合併号と39号で募集）で上位10作に選ばれた作品を収録したものです。集計結果、収録巻数・話数は以下の通りです。

| | |
|---|---|
| 1位 | 浅草物語の巻（JC57巻・第8話） |
| 2位 | おばけ煙突が消えた日の巻（JC59巻・第8話） |
| 3位 | 勝鬨橋ひらけ！の巻（JC71巻・第9話） |
| 4位 | 始末書の両さんの巻（JC1巻・第1話） |
| 5位 | 突撃！クレーンゲームの巻（JC73巻・第8話） |
| 6位 | 親愛なる兄貴への巻（JC92巻・第3話） |
| 7位 | パソコン・モンタージュ！の巻（JC86巻・第7話） |
| 8位 | 両さんメモリアル（JC69巻・第7話） |
| 9位 | 江戸っ子すし講座の巻（JC47巻・第2話） |
| 10位 | 格闘ゲーマー警官登場!!の巻（JC99巻・第1話） |

巻末に収録の「日暮2号!?登場の巻」は、“「こち亀ベスト10」”と同時に募集した“読者による『こち亀』構想募集”の最優秀作品を秋本治先生が描き下ろし、連載1000回記念号（WJ1996年52号）に発表した作品です。

JUMP COMICS
こちら葛飾区
亀有公園前
派出所
読者が選ぶ傑作選
特別注文
秋本治

特別注文
こちら葛飾区
亀有公園前
派出所
★読者が選ぶ傑作選★

目 次

浅草物語の巻

★この作品はフィクションです。実在の人物・
団体・事件などには、いっさい関係ありません。

村瀬！どうかしたか？
なんでもねえ さっさと車に乗せろ！
負けたあ！信号が多すぎますよ…
あれ!? 先輩!?
チカッ
ブオオ
あいつっ！同級生の村瀬じゃねえか!?
え!?

さっきの
警察官
しりあい
なのか？
うるせえ！
しったこと
じゃねえ!!
村瀬賢治と
言って 小学校で
一番の天才少年
だったんだぞ
オレと仲よくてな
三年生の時
浅草から渋谷のほうへ
引っこして行っちゃって
三十年近く
会ってなかったな
ROBOT
POLICE
亀有公園前派出所
家も金持ちでよ
当時から
家庭教師つきで
車で小学校へ
かよってたんだぞ
てっきり
官僚にでも
なってると
思って
たのに
なんで
ヤクザの世界に
入っちゃった
のかなあ？
小学生でトップの
成績でも 中学
高校 大学とレベルが
アップしてきます
からね！
日本中から優秀な
人が集合する中で
さらにトップを とることは
並みたいていの努力じゃ
つとまりませんよ！
そこで
生まれてはじめて
挫折や敗北感を
味わい 人格をも
変えてしまうことも
ありえます
エリートほど
挫折すると
もろいですからね

エリートでも悩みごとがあるのかあ ふーん
頭の回転がはやすぎて考えすぎるんだよ!
両ちゃんは回転がにぶくてよかったわね!
大きなおせわだ いちいち例に出すな!
あいつわしのことおぼえてるかな?
心配だな!
キ
亀有公園前派出所
警視庁
出動準備だ!
護送中の犯人が逃走した!
なんだって!
ひょっとして葛飾署にいた犯人ですか?
そうだ! 東署に行く途中車をぶつけてな!
あっしも行きます!
おまえは足手まといだから来なくてもいいのに…

村瀬賢治
集英会幹部だったが
現在 破門
台東区浅草付近で
パトカー内で乱闘
車を ぶつけ
そのまま逃走
金龍山
雷門
集英会を
うらんでおり
組に
なぐりこむため
逃走した
可能性が強い
集英会のある
浅草X丁目
および その
周辺を…
葛飾署より
30名応援に
まいりました!
うむ
ごくろう
犯人は
銃を うばって
にげている
十分 注意
してくれ!!
犯人の
手がかりは?
犯人は いずれ
集英会のある
この場所に
あらわれるだろうが
足どりが つかめん!
中川
ここで
まっていろ!
え!?
ん!?
両津は
どうした?
それが
その…

逃走してる男は 先輩の同級生なんです
なんだと!?
ツルヤ
浅草なら うら路地までしってるからな! 見つかるものか!
集英会め! まっていろ 今復しゅうしてやる!
両津っ!!
浅草の うら路地は よく おまえと いっしょに 鬼ごっごをして 遊び回って いたろう!
おまえの よく通る 道は おぼえて いるさ!
それに 集英会に 行く路地は この道しかない!

そこをどけ!
今度はピストルごっこか!!
なつかしいな! さあこい!
本気だぞ! 撃つぞ!
うわっ!!
拳銃の音が!!
なに!
いそげ中川!
犯人にちがいない!!

どりゃあ!!
グキ
どうしてもジャマをする気か!
あたりまえだ!!
うわっ
ガシャッ
なんだいあんたら?
他人の家こわすんじゃないよ!

ちくしょう！
何が おまえを変えたのかしらんが…
人生を投げた時点でおまえの負けだ！
うるさい!!
だまれ！
あっ！
ガッ☆
大バカ野郎！
部長！こっちです！
先輩たちがいました！

すぐたすけに…！
まて中川！
小学生のころ成績はいつもおまえがトップだった
しかしわしら子どもたちにとってはちっとも自慢にはならん！逆にきらわれてクラスの男たちにいじめられていたっけな！
この場はあいつにまかせてみよう
え!?
運動もにが手なおまえにわしが特訓したのはベーゴマだ！
当時の男の子にとってその勝ち負けが尊敬の対象になった！
やった賢坊の勝ち！
ちくしょう！あいつ力がないくせに強え！
べーだ！いつでも相手になってやるぜ！
見て!! 両ちゃん勝ちとったベーゴマがこんなにふえたよ
賢坊のは大型をペチャにした特製ベーゴマだおまけに左ききだからぜったい負けないよ！

七十…八十…九十…すごい！ちょうど百個になった！
え‼ 百個も！
すごいなあ 元は この一個のベーゴマなのに！
賢坊にかなう奴はもう町内にいないな！明日は ほかの町内に行こう！
自分の力で勝ちとったあの時の笑顔は わしもはっきり おぼえてるよ！
えっ 引っこすの⁉
うん 急に きまってしまったんだ！
おとうさんの仕事で渋谷に引っこすんだって
ざんねんだな！せっかくベーゴマチャンピオンになれたのに！
今まで勝ちとったベーゴマ両ちゃんにあげる
私立中学にはいるからもう 遊ぶ時間ないんだって！
せっかく百個も集めたのに…男の勲章だよ！このベーゴマは！
ううん！でもみつかったらすてられてしまうし…
ジャラジャラ

そうだ！いい考えがある！
え!?
グリコ
この木の下にうめておくんだよ ぼくらの宝物として！
そうすればいつでも使いたい時に出せるじゃないか
そうか両ちゃん頭いいな!!
ザッ
何やってるんだよおまえら！
あっいじめっ子だ！
おまえだなベーゴマの賢坊は？ベーゴマよこせよ！
うわあたすけてよ両ちゃん
なんだっておい！
グイ
うわ！
おい！やめろよ！

手をはなせ！
ドス
ぐっ
なまいきなガキだこいつ！
あっ両ちゃん！
なまいきでわるかったな!!
ガッ
あいたたた！
狂犬みたいな奴だ！
歯の強さは町内一だぞ！
さすが強いね六年生をやっつけちゃうなんて！
へへへケンカなら負けないよ！
ガッ
ふっ…そう言っていたオレがヤクザになっておまえさんが警官になっていた…
世の中思い通りにならないものだな両ちゃんよ！
両ちゃんがその強さで悪人になってもぼくが弁護士になってきっとたすけてあげるよ
はは…はきついな…賢ちゃん…

思い通りいってりゃわしは総理大臣だぜ
ははちがいねえ！
なぐりこみなんてどうでもよくなってきた
言う通り自首するよ！
元もと優秀な頭を もっているんだ！いくらでも再スタートできるぜ！
ふっ出おくれのスタートだ
おい警察はむこうだよ
わかってるよ！
ちょっと寄りたい所があるんだ心配するなかならず自首する

先輩どうして逮捕しないんですか？
あっ中川!!

中川！大丈夫だ 奴はにげやせんよ
花やしき通り
旧陸海軍
皮ジャンパー
ピーポーピーポー
ROBOT POLICE
犯人自首で ぶじ事件も 解決して よかったですね
心配しましたよ あのまま また 逃走して しまうかと 思って…
説得して 自首させる なんて すごいわね！
わしの 同期の 奴なんだ ぞ！
悪い奴など おらん！ みんな根は いい奴 ばかりだ
・・・・・・・クラスで一番 できの悪い両津 だからこそ 説得力が あったのだぞ！
大きな おせわ ですよ！

たしか このあたり だったな…
あっ!!
掘りかえした跡がある
村瀬にちがいない!
………どこかに寄ると言っていた言葉が気になってたのだが…
やはり この場所だったか!
手紙が!?
ビスケ
勘のいいおまえのことだ おそらく おまえも この場所へ 来てることだろう

25年前のオレに もどらせやがって! 百人斬りのベーゴマは しばらく借りることにする これはオレの誇りだからな
2001年に会うのを たのしみにしてるよ 賢治
あいつめ
この宝物は21世紀になったらいっしょに開けよう!
2001年かあ 40年後だね…
40年後は両ちゃん なんになってるかな
もちろん総理大臣さ!
賢坊は頭いいから弁護士だ! ぜったい!
そうかなあ
引っこしてもわすれないでね ぼくたち一生友だちだよ
あったりまえさ そんなこと ぜったい わすれないよ!
2001年の元旦にまた ここで会うのがたのしみだな
よし! もっと深くにうめとこう! みつからないようにな!
ザッ
ザッ

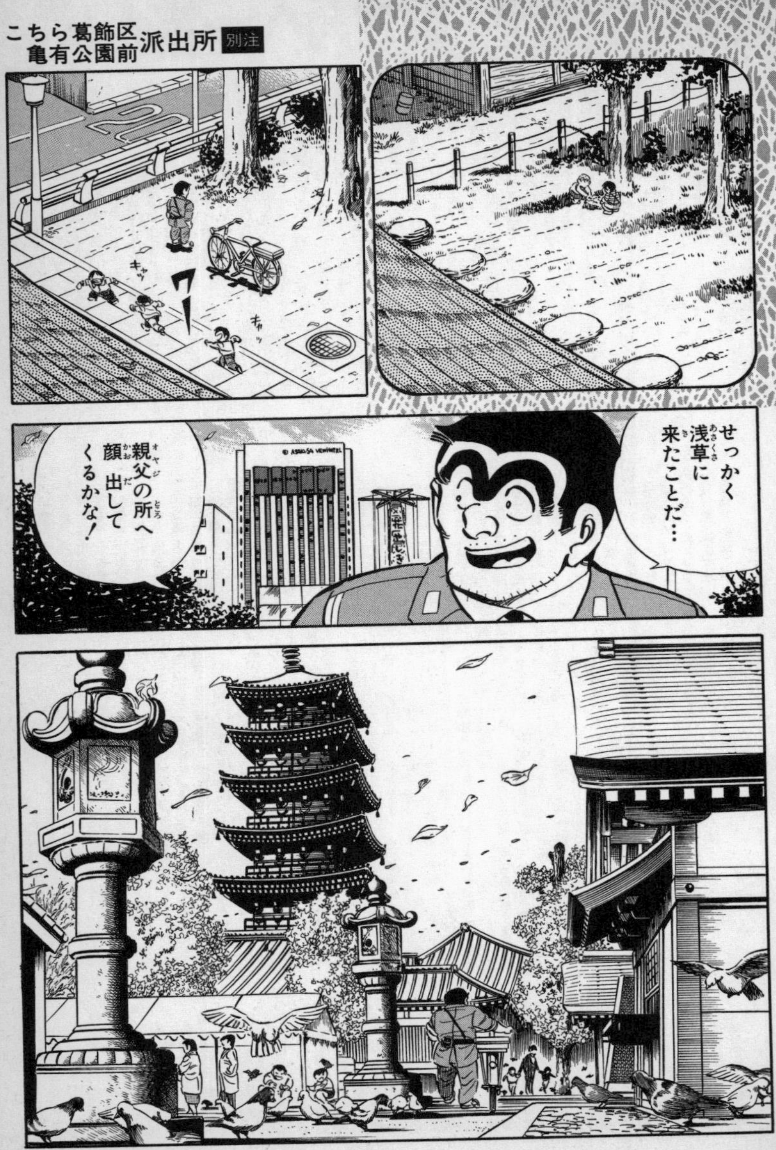

キャッ
ワー
キャッ
せっかく浅草に来たことだ…
親父の所へ顔出してくるかな!

浅草物語の巻(完)

WJ連載1000回！

お祝いメッセージ

# 両さんへ一言！ PART1

ハチャメチャだけど、人情味があって下町を愛す両さんが好き！ 〈千葉県〉折田泰文
借金がふえても、大活躍してね！ 〈三重県〉畑井克博
これからも、両さんのハチャメチャな大活躍を期待してるよ。 〈滋賀県〉川妻清和
日本は取った！ ねらうは世界、いや、宇宙一!! 〈兵庫県〉木谷晋輔
もっと野性の力をみせてくれ！ 〈兵庫県〉松本純一
全世界に名前が知られるような大活躍をしてね！ 〈京都府〉井崎哲弥
これからも、けがをせず(するわけない)がんばってください。 〈岩手県〉池上竜司
早く借金を返済して、自由の身になってがんばって下さい！ 〈千葉県〉石毛孝史
自慢の体力で、こち亀の記録を更新し続けてください!! 〈福岡県〉広渡経介
おれにも、お金のもうけかた教えてくれ〜〜〜！ 〈東京都〉甲子健人
これからも、世界中で大あばれしてね！ 〈東京都〉天野つよし
部長の言う事を聞いていれば、いろいろな事件が起きないのに…。 〈兵庫県〉犬山正太
その人間ばなれした体力で、これからも大活躍してくれ！ 〈千葉県〉保土田正俊
いつも遊んでばかりだけど、いつかは借金かえそうね。 〈埼玉県〉平野哲也
部長に怒られてばかりだけど、これからもがんばってください。 〈京都府〉西田浩平
この先もタフな精神力で暴走し続けて下さい。 〈福島県〉熊田孝之
今まで以上に、ギャンブルをやりまくってね！ 〈神奈川県〉田中雄二
これまで以上にパワーアップしてこれからもがんばれ!! 〈大阪府〉田代潤一
いつもパワフルな行動力で、これからも大活躍してね!! 〈埼玉県〉斉藤大輔
今後も自由な生き方で我々に笑いと勇気と希望を与えて下さい。 〈千葉県〉井上晃
これからも大活躍してください。 〈福島県〉月津太郎
僕はまだ16歳だけど、僕より先に結婚しないでね！ 〈埼玉県〉黒米拓朗
あまり部長をこまらせないで下さい&常にその笑顔で。 〈福岡県〉本多哲士
歯みがけよ、頭を洗えよ、顔を洗えよ、フロへ入れよ。 〈山梨県〉笹本裕也
よ、両さん、鉄の体でずっと走りぬけ！ 〈岐阜県〉沢田昭
これからも、その行動力で日本中をさわがせて下さい。 〈東京都〉井口篤
コミックス一〇〇巻の次は一五〇巻をめざして下さい。両さんへ。 〈東京都〉戸村光浩
がんばれ両さん部長に負けるな！ 〈東京都〉溝口賢一
豪放無秩序な生活をスピードを緩めずに突っ走れ！ 〈三重県〉中島聖
自由に生きている両さん、師匠と呼ばせて下さい。尊敬してます！ 〈北海道〉石川大朗
やっぱり下町、やっぱり両さん。 〈埼玉県〉小牧慎一郎
これからもおげれつパワー全開バリバリでがんばってちょーだい!! 〈神奈川県〉根来純哉
その野性的な体で、めちゃめちゃ大活躍して下さい。 〈愛知県〉中村航
これからも自分の思う通りに生きて下さい。 〈新潟県〉上村直也
昭和30年代の古きよき時代をもっともっと知らせて下さい。 〈和歌山県〉倉矢秀幸
これからもどんどん借金を増やして下さい。 〈秋田県〉原田孝志
貴方は、一億二千万人全ての心の中の鑑です。 〈宮城県〉矢麻茶案

両さん、1000回も続いて、ボクもハッピー、略してボッピー。 〈東京都〉関根勤
まゆげ！ひげそりあと！年とらないでね、これからも!! 〈東京都〉小堺一機
今迄の借金なんかフッとばしこれからも大暴れしてくれ!! 〈茨城県〉金山泰成
これからも百万馬力でがんばって下さい。 〈大阪府〉桜井誠司
これからも今以上にばく進していって下さい。 〈徳島県〉戸田武志
これからも、大胆な行動でみんなを驚かせてください。 〈福島県〉菅野淳
これからも、部長との壮絶なるバトルを期待してるぞ!! 〈秋田県〉小野勇気
両さんのがむしゃらな性格が大好きです。この本家宝にします。 〈宮崎県〉高橋ゆかり
その強運と勝負強さで、最高の大活躍を期待しています。 〈宮崎県〉鎌田直哉
日本一の人情たっぷりな警察官になれるようにがんばれ!! 〈兵庫県〉北野哲也
これからもハチャメチャなことして笑わせてください！ 〈大阪府〉鳥取宏志
これからは、部長に怒鳴られないように大活躍してください！ 〈東京都〉山本賢志
これからも、子供心をわすれずにがんばってください。 〈新潟県〉綱島和紀
たまには、無口な両さんも見てみたい。 〈東京都〉今村修
21世紀の舞台でもそのすさまじい暴れっぷりを見せてくれ！ 〈静岡県〉長島伸浩
早く麗子と結婚して今よりもっと幸せになって下さい。 〈福岡県〉吉田剛
その圧倒的なパワーで、これからも大活躍して下さい。 〈大阪府〉富盛浩
この時代に生まれあなたにお会いすることができて私は果報者です。 〈群馬県〉丸山幸恵
今までの波乱の人生、これからもこち亀の歴史を切り開いて。 〈千葉県〉岡俊太
ずるがしこいけど、頭がいいね！ 〈東京都〉笠原淳
ぼくは、両さんの自由に生きる所が大好きです！ 〈千葉県〉月岡達長
両津さん、あなたのおかげで明るい性格になりました。 〈千葉県〉前田悠貴
何でも知ってる物知り両さん。これからも色々僕等に教えてねっ。 〈東京都〉坂田一成
今度、いっしょに競馬に行こう。 〈福島県〉木田達彦
これからも部長に負けず、ゴキブリ並の生命力でがんばれよ。 〈長野県〉岸拓也
雨ニモ負ケズ風ニモ負ケズ部長ニモ負ケズ己ノ道ヲ進メ。 〈群馬県〉堀越康介
我らが主人公男の中の男両さん、これからも頑張ってください！ 〈新潟県〉大塚邦彦
ファミコン、ベーゴマ、競馬と天才的能力を出しつくせ!! 〈福岡県〉戸塚将太
金に目がない両さんが大好きでゴワす。今後もファイヤーしてよね。 〈愛知県〉T.Sugihara
たくさんの借金にもめげず元気な両さんは男の中の男です。 〈愛知県〉池田和樹
もう本棚にコミックスが入りきらない！まだまだヨロシク。両さん。 〈神奈川県〉こいちゃん
世界最強のヒーロー・両さん！ 〈東京都〉安達仁
両さんを見ていると元気になります。これからもがんばって下さい。 〈千葉県〉佐川皓介
歴史に残り、男のサザエさんとして生きて下さい。 〈大阪府〉川本純
競馬歴の長い両さん、競馬で勝つコツを教えて下さい。 〈埼玉県〉渡辺クリムゾン
これからも、ギャンブルと仕事をがんばって！ 〈滋賀県〉中北正史
早く結婚しなさい！ 〈徳島県〉柳生吉彦

# おばけ煙突が消えた日の巻

おばけ煙突が消えた日の巻
担任のゲタ先生がオート三輪に ひかれて入院してしまい…
臨時の先生がぼくらの教室に来てくれることになった
佐伯羊子先生です
現在 大学生で研修を かねての新しい先生です
みなさんよろしく!
どうぞよろしく!

勘吉！女の先生だぞ！どうする？
うちの一番上のねえちゃんくらいだよあの先生！
相手が女だろうとやると言ったらやる！
生徒としてなめられたらダメだ！何ごともはじめが肝心！
わ…わかった よ！
ぼ・く・らにとってそれは日常のいたずらにすぎなかったのだが…
3くみ
2くみ

きゃあ!
やったあ
大成功!
いえ〜い!
し〜〜ん
こ こら
だれだ!?
あんな
ことをした
悪い奴
は!?
ふつうの先生なら「こら!」と
どなり たたかれて終わる
いたずらのはずだったのに…
まさか泣かれてしまうとは…
ぼくにとっても
おどろくべき出来事だった!
ヘビやカエルは
やめといたほうが
いいな!
中止しよう!
うん!
あの先生
きれいだし!
やめよう
ゲロ
ゲロ
ねえちゃんより
ずっと美人だよ

こら! そこで 何を しとるか!
やばい! ハゲだ!
にげろ!
ザッ
ググッ
ガッ
ガッ
こら! まて!
ザザッ
う〜む 相変わらず すばしっこい 三人組だ
まったく あの連中と きたら!
忍者漫画からヒントに ぼくら三人組は七つ道具 というのを いつももっていた むろん仲間だけの 合言葉もあった
ロープ
ビンに入った かんしゃく玉
レンズ
ナイフ
プラの手裏剣
紙せっけん
磁石
暗号が かいてある手帳
粉の入った玉子の カラで作った 煙幕
パチンコ
ごっそさん!
かあちゃん ちょっと あそびに 行ってくる
モグ
モグ
ガチャ
もっと ゆっくり 食べりゃ いいのに! この子は!
よろず屋

よくかんで食べないから頭まで栄養が回らないんだよ兄ちゃんは！
ピク
ズズー
大きなおせわだこの野郎!!
パコ
ブッ
勘吉!! 金次郎をたたくんじゃないよ！
どこにあそびに行くんだい!?
2本の所！行ってきまーす！
ダッ
なんだい2本って？
兄ちゃんたちの暗号なんだ！わからないよ！
1本 2本 3本 4本の場所 それはあの『おばけ煙突』がその数に見える場所のことである
自転車が手に入ってからは あそびの行動が台東区ばかりでなく 墨田区 荒川区 足立区と広がった
悪い！悪い！
おそい！
ほんとだ！ここからだと2本に見える
とうちゃんの仕事で来て発見したんだ

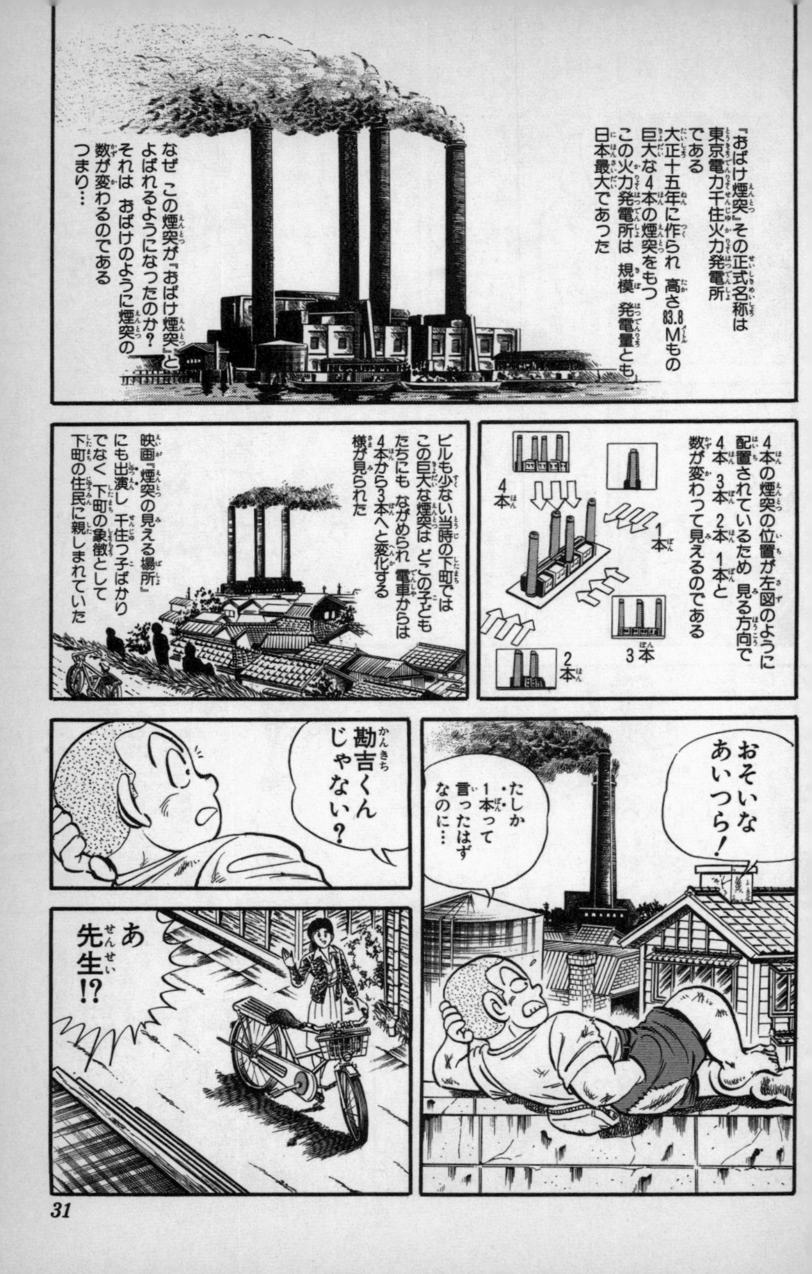

『おばけ煙突』その正式名称は東京電力千住火力発電所である
大正十五年に作られ 高さ83.8Mもの巨大な4本の煙突をもつ
この火力発電所は 規模 発電量とも日本最大であった
なぜ この煙突が『おばけ煙突』とよばれるようになったのか?
それは おばけのように煙突の数が変わるのである
つまり…
4本の煙突の位置が左図のように配置されているため 見る方向で4本 3本 2本 1本と数が変わって見えるのである
4本
1本
3本
2本
ビルも少ない当時の下町では この巨大な煙突は どこの子どもたちにも ながめられ 電車からは4本から3本へと変化する様が見られた
映画『煙突の見える場所』にも出演し 千住っ子ばかりでなく 下町の象徴として下町の住民に親しまれていた
おそいな あいつら!
たしか・・1本って言ったはずなのに…
勘吉くんじゃない?
あ 先生!?

勘吉くんのお家この近くなの？
いいえ！浅草でつくだ煮屋やってます！
よくあそびに来るんですこっちは！
従業員募集
先生こっちに住んでたんですか!?
緑町に伯母の家があるの研修の間間借りしているのよ
あの…バケツのしかけ作ったの…オレなんです
いつかあやまろうと思ってたんだけど…
びっくりしたわあの時…
キミたち三人組はいたずらグループなんですってね！
大学にもどってもキミたちのこと忘れないわ
わたしにとってもこの三週間は貴重な体験だったし…
まだまだ社会人になれないなあって強く感じたもの！
えっ先生やめちゃうの!?
担任の車先生が自宅療養をおえられ来週から学校にもどられるんですって…
今週でみんなとおわかれなの
短い間だったけどたくさんのお友だちができてうれしかったわ
たとえ・・・いじわるな生徒でもね！勘吉くん！
ドキ

あっ もう こんな時間!?
いけない! 夕食のおかず 買って 行かないと!
タダで 伯母の家に いられないから 夕食は わたしの 役目なの!
じゃあ また 明日ね!
はい
夕日に消えて行く 先生の姿に ぼくは 急に さみしさを 感じた
同時に なぜか 胸の奥が 熱くなって来るのを ふしぎに思った
見たぞ! 見たぞ!
先生と ふたりで 何を 話してたんだ 勘吉!
あっ おまえら!!
ひとりだけ ぬけがけ するなんて ずるいぞ!
勘吉も 先生のことが 好きなんだろ! こいつっ!
ボカ
バカ
それどころ じゃ ないんだぞ バカ!
先生 あと三日で やめちゃうんだ!!
えっ!?
本当かよ!

ゲタの奴もうなおったのかあ! ちくしょう
自転車で体当たりしてまた入院させちゃお!
いいから聞けよ! おまえら!
オレたち三人で先生に してあげられることを考えるんだよ
クラスのみんなじゃできないことを! 三日以内に!
佐伯羊子先生とは今日で おわかれです!
三週間の短い間でしたがごくろうさまでした
先生どうもありがとう! これクラスの女子からです!
まあきれいなお花ね どうもありがとう!
パチパチ
男子からは花ビンです 先生どうもありがとうございました
すてき! どうもありがとう 大切にするわ!
この手紙は勘吉たち『三バカトリオ』から先生にプレゼントだって!
えっ? 勘吉くんたちは?

努力
友情
あの三人授業おわったとたんすっとんで帰っちゃったよ
おわかれ会に出ないなんてまったく！
何かあったのかしら…
なに！勘吉が自転車に乗って行った!?
つくだ煮
よろず屋
よろず屋
これから仕事で使うってのに！しょうがねえ奴だ！
ゆうべおそくまで作ってた物をはこぶのに必要なんだって！
テレビが家に来るって楽しみにしていたのにどうしてあそびに行っちゃったんだろう
まったく一番さわいでたくせに！
オリンピックがわが家で見れるなんて夢みたいだね開幕が楽しみだ！
電車で帰る時間まちがってないだろうな！
上野で乗る列車がきまってるから大丈夫だよ！
教頭先生がそう言ってた！
よし！いそげ！

ゴゴゴゴオオォ…
近くで見るとすごい大きさだ!
こんなに大きかったなんて…
どうする勘吉?
一度きめたらぜったいやる!
気をつけろ!見つかったら大変だぞ!!
わかってるよ!
カッ
ヒュンッ
八百屋

こら！中に入っちゃいかん！
しまった！
用意するまで煙幕で時間をかせいでくれ!!
よしまかせろ！
グイ
えい！どうだ！
うわっなんだ!!
パン
パン
ゴホゴホ
こら！いたずら坊主め!!
あいたた
勘吉ここはまかせろ！行け！
がってんだ!!
ドッ
タッ
タッ
タッ
あっ!?
こ…こら！

そんな所登るんじゃない！
おりて来るんだ!!
うわっ
上に登るほど風が強くなる！くそ！
これも計算外だ！
あっいけない！
勘吉!!ちがってるぞ!!
その煙突じゃない!!となりの煙突だ！

隅田川のほうの煙突なんだよ～見えるのは！
その煙突だと影にかくれて全然見えないぞ～!!
バカ野郎もう おそい！
登りきってからそんなこと言うな！
ピー
あっ！
千住大橋
ジリリリリリリ
ガタン
ガタン
ガタン
上野
勘吉くんたちとうとう姿を見せなかったけど…
あの三人が一番活発で印象的だったわ

それにしても…
佐伯先生へ
電車が鉄橋をわたる前に右側を見て下さい。
それがぼくらのプレゼントです。
豚平 珍吉 勘吉
ゴトーン
ゴトーン
どういうことかしら!?
ちくしょうもう電車が来ちゃう！
どうすればいいんだよ！
ようし一か八かだ!!
うまく風に乗ればなんとか！
それ！
やった！
かかったぞ！
とびうつる気だ！むこう側に!!
な…なんだって!?

それ!
うわっ落ちる!
ひゃあ!!
あいて!!
大成功!!
はやく上まで登って!!
やったぞ!
なんて奴だ!
えい!

佐伯先生もありがとー!!
よくやった勘吉(かんきち)!!!
やったあ!!
あたしのためにあの三人(にん)あんなことまでしてくれるなんて!
お別(わか)れ会(かい)でせっかく涙(なみだ)を見せずにいたのに…あの子たちったら!
見(み)えてたかな?先生(せんせい)

三
勘吉
珍吉
豚平
あっ！
佐伯先生どうもありがとう
パンや
おまえら全員警察へつき出してやる！
あいた!!
だ…だれだこんなことを!!
全教室のカーテンを全部もって行くとは!!
またあの三人組のしわざだな！

ぼくたちは警察で怒られ 学校で怒られ
両親からも怒られ 一生分は 怒られまくった
『おばけ煙突』に 二度と近よらないという
誓約書まで書かされてしまった
東京オリンピックも ぶじおわり
季節も秋から冬へと変わり
はじめた
佐伯先生
教員試験を
受けるために
猛勉強中
だってさ！
あのメッセージ
見てくれて
本当に
やって
よかったな！
勘吉!!
また
しゃべって
たな！
あっ
いけねっ
!!
算数
時間
ですよ
先生！
終了の
時間！
退院してから
どうも
ペースが
合わんな！
クラスに とどいた先生のハガキを見て
ぼくらは急に『おばけ煙突』が
なつかしくなり その日の午後
ご法度を破り その場所へ行った

おかしいよね ここは3本の場所なのに…
うーむ… 2本にしか見えないものな！
いつも まっ黒の煙が 出てるはず なのに… ぜったい おかしいよ！
うん
近くに 行って みよう！
よし！
大衆酒場
三河屋
プァ
プァ
ドドド
はあはあ つかれた…
ここまで 来れば！
ガチャ
ぜい
ぜい
あっ!!

ガガガガ
ドドーン
ゴゴゴゴ
ドガ
おばけ煙突が…
こわされてる…
日本最大の発電所も 39年という月日に時代おくれとなりついには とりこわされることになった 下町からあの巨大で勇ましい姿は二度と見ることができなくなったのです
ぼくたちにとって ひとつの思い出が くずれて行くような気がしてなりませんでした

こわされる時はあっけないものだぞ!
ほんとにおばけのようにスッと消えてなくなっちまったよあの煙突!
勘吉くんの初恋物語をじっくりと拝聴させていただいたよ!
この一枚の写真にもそんな思い出があったんですか!
下町っ子にはその煙突は思い出だらけだよ!
東京なつかしフォト
あっ部長!!
いっそおまえも『おばけ煙突』みたいにスッと消えてくれるとワシもたすかるんだがね
開口一番手きびしいお言葉!!まいったなはは…は
東京の昭和史

おばけ煙突が消えた日の巻(完)

WJ連載1000回!
お祝いメッセージ

# 両さんへ一言!

PART2

百五十歳になるまで大活躍してね!! 〈京都府〉喜田徳也
これからも、メチャクチャぶりを発揮して大活躍して下さい。 〈北海道〉尾埜敬太
一〇〇〇回記念として秋本麗子にプロポーズしてまえ!! 〈静岡県〉石原信之
早く巡査部長になって、これからもがんばってください。 〈大阪府〉東田博靖
あんたは、死なん。だから、永遠に笑わせて。 〈兵庫県〉山本勝也
質実剛健、奇想天外、空前絶後、それが我らの両さんです!! 〈宮城県〉及川雄太
獣の底力、火事場のバカ力、いつでもどこでもたよりになる両さん。 〈千葉県〉岡田弘二
一〇〇〇回おめでとう。こんどパソコンおしえてね。 〈福島県〉鈴木　勇
連載一〇〇〇回おめでとう。これからも楽しませて! 〈福岡県〉安森　翔
これからも今の様な警官らしい仕事っぷりを発揮してください。 〈埼玉県〉田口聡広
両さんの「我が道を行く」生き方にはいつもひきつけられます。 〈東京都〉堀口育男
そのすさまじい運動神経でこれからもがんばってね! 〈東京都〉犬塚尚樹
両さんおみゃあに出会ってからは俺の人生全て博打になっただがや。 〈愛知県〉鈴木伸輔
その予測不可能な行動力でこれからも大活躍してくれ! 〈秋田県〉後藤　司
また三面記事を一人で独占して世界を破壊しつくして下さい。 〈和歌山県〉大石昌弘
これからもおもしろおかしくやっていってね。 〈静岡県〉紅林征樹
いつも身近な存在の両さん。これからも、僕のそばにいてね! 〈福岡県〉内田有亮
二〇〇〇回とっぱ目ざしてがんばって!! 〈東京都〉神山亮介
これからもパワフルに、僕達を楽しませ続けて下さい。 〈山梨県〉長坂俊一
これからもがんばって、僕達を笑わせてください。 〈埼玉県〉柿沼和樹
葛飾の治安を守れるのは両さんだけ。頑張れ両さん葛飾の希望だ! 〈大阪府〉渡辺正人
周りがパワーアップしているので両さんも負けずにがんばって! 〈愛知県〉勅使　明
その人並はずれたパワーで、これからもがんばってください。 〈北海道〉田中聡史
何でも作る両さんだけど、借金はなるべく作らないように! 〈岡山県〉藤原佑輔
あなたから私は、元気を胸いっぱいいただきました。ありがとネ! 〈埼玉県〉大沢理恵
これからも、その並外れた行動でみんなを楽しませてね! 〈埼玉県〉真板裕之
これからも、部長とともに長生きして下さい。 〈群馬県〉鑓田裕之
これからもその大胆不敵な行動でオレら読者を笑わせてくれ!! 〈千葉県〉白井聖人
これからも笑顔を忘れずに。 〈栃木県〉住吉宏太
たまには「これが警察官だ」というところを見せてくれよ、両さん。 〈京都府〉林　俊宏
これからも葛飾署で大あばれして下さい。 〈東京都〉梶村　亘
その底なしの元気とパワーでこれからも大あばれしてね!! 〈山口県〉中野麻衣子
これからもがんばってね!それと明日約束どおり遊ぼうね! 〈滋賀県〉河田圭介
連載千回おめでとーございます。両さんこれからもがんばってね。 〈兵庫県〉東沢正秋
本田君をあまりいじめないで下さいね。それと部長も。 〈京都府〉坂巻剛弘
爆発的な行動力でこれからもがんばってね。 〈兵庫県〉山本将一
これからもバカで元気で常識外れの毎日で突っ走ってや! 〈大阪府〉高木健一

たまには松戸に来て!よく出るパチンコ屋教えるよ! 〈千葉県〉長井英一
これからも破天荒さを武器に、がんばってね! 〈神奈川県〉浅田健次
いつまでもその七転八倒な性格で僕達を楽しませてください。 〈新潟県〉阿部和明
一〇〇〇回おめでとう。これからも両さんらしくガンバレ。 〈三重県〉野崎慎也
両さんは僕の理想です。僕も両さんの様な人になりたいです。 〈三重県〉東　剛志
早く麗子さんにプロポーズしなさい!! 〈東京都〉大橋雅晴
サバイバル・ゲームをしよう。&一〇〇巻発売おめでとう。 〈岡山県〉高木光尚
僕が両さんと同い年になってもそのパワーでがんばって下さい。 〈埼玉県〉川崎　潤
これからも、僕達にいろいろな事を教えて下さい。 〈熊本県〉濱田康寛
ポリバケツ両さん、その鉄の胃でこれからも活躍してね。 〈宮城県〉八木悠允
これからも、誰にも負けない根性でがんばって下さい。 〈大阪府〉山本貴章
両さんが総理大臣になれば、日本も変わるはず!目標は世界制覇! 〈岡山県〉吉田英正
これからも、中川との名コンビでがんばってね。 〈山形県〉高橋宣弘
ところで両さん、あなたはいったい何歳なの? 〈岡山県〉宮野晋一
今まで通りに、パワフルな毎日をおくってネ。 〈愛媛県〉友澤博之
一〇〇〇回おめでとう!もっと子供のころの話をしてね。 〈沖縄県〉下地昇太
オメデトウ!!両さん。次はめざせ連載一〇〇〇〇回だぜ。 〈長崎県〉大杉耕平
あなたのそのマニアックな所がとても好きです。 〈富山県〉大竹口一美
両さん、これからもいろいろな分野で頑張ってください。 〈埼玉県〉斉田明浩
そのとてつもない決断力と行動力でみんなを引っぱっていってね。 〈群馬県〉境野陽介
警察官、漫画家として、これからも活躍して下さい。 〈埼玉県〉増井健太
これからも、人並みはずれた活躍に期待してます。 〈宮崎県〉押川洋子
両さんがマジメになってしまったらつまらないよね。 〈千葉県〉宇野司郎
僕の生活は両さんなしには考えられません。これからもよろしく! 〈東京都〉岩本光生
僕は、両さんのような兄が欲しい。 〈宮城県〉高村　順
あんたは大将、男だ、江戸っ子だ、不死身だ、みんなの先生だ。 〈静岡県〉町田嵩幸
地球が消滅しても、両さんだけは宇宙人とエンジョイしてね! 〈愛知県〉岩越俊明
そのスゴイ行動力で僕達をいつまでも笑わせて下さい。 〈群馬県〉金子和永
子供心を忘れずに、これからも頑張ってください。 〈愛知県〉岡田有治
マニアックな知識と恐ろしいくらいの行動力で末長く活躍し続けてね。 〈埼玉県〉三浦　誠
アホさと人情で、21世紀になってもハッスルしてね!! 〈宮城県〉千葉健太
いつもムフッなことしてくれてありがとん!!気ーつけて。 〈長崎県〉ろひかた まやりも
これからもいままでどおりがんばってください。 〈広島県〉古賀　聡
両さん、これからもすごいパワーでしゅやくを守ってください。 〈滋賀県〉伊地知宏太
これからもそのパワーと根性で、がんばってね! 〈福島県〉鎌倉雅仁
目には目をッ!借金には両さんをッ!! 〈愛知県〉清水勝紀
そのあふれ出るパワーをいつまでも僕達にわけ続けてくれ! 〈宮城県〉森　崇文

勝鬨橋ひらけ！の巻
《東京都》 勝鬨橋 (昭和15年完成)
何それ？
橋の専門書よ！
京橋区
築地と月島は目の前にあるが連絡する為に永代橋を頼るしかない。自動車で30分もかかりもし、勝鬨橋で連絡すればわずか5分ですみ一般交通に便利で
形式 可動橋 支間44.0m 幅員22.0m 総鋼重5000t 双葉式 跳開橋
両ちゃんあてに送られてきたんですって
なんで先輩の所にそんな工学書など？
わしにもよくわからん
工事中の
勝鬨橋か昔開いたけど今閉鎖されてるんだよね
もう開かないの？
閉鎖後一度開いた事があるぞ
えっ？まさか！
本当だよ
開けた本人が言ってるんだからまちがいない！

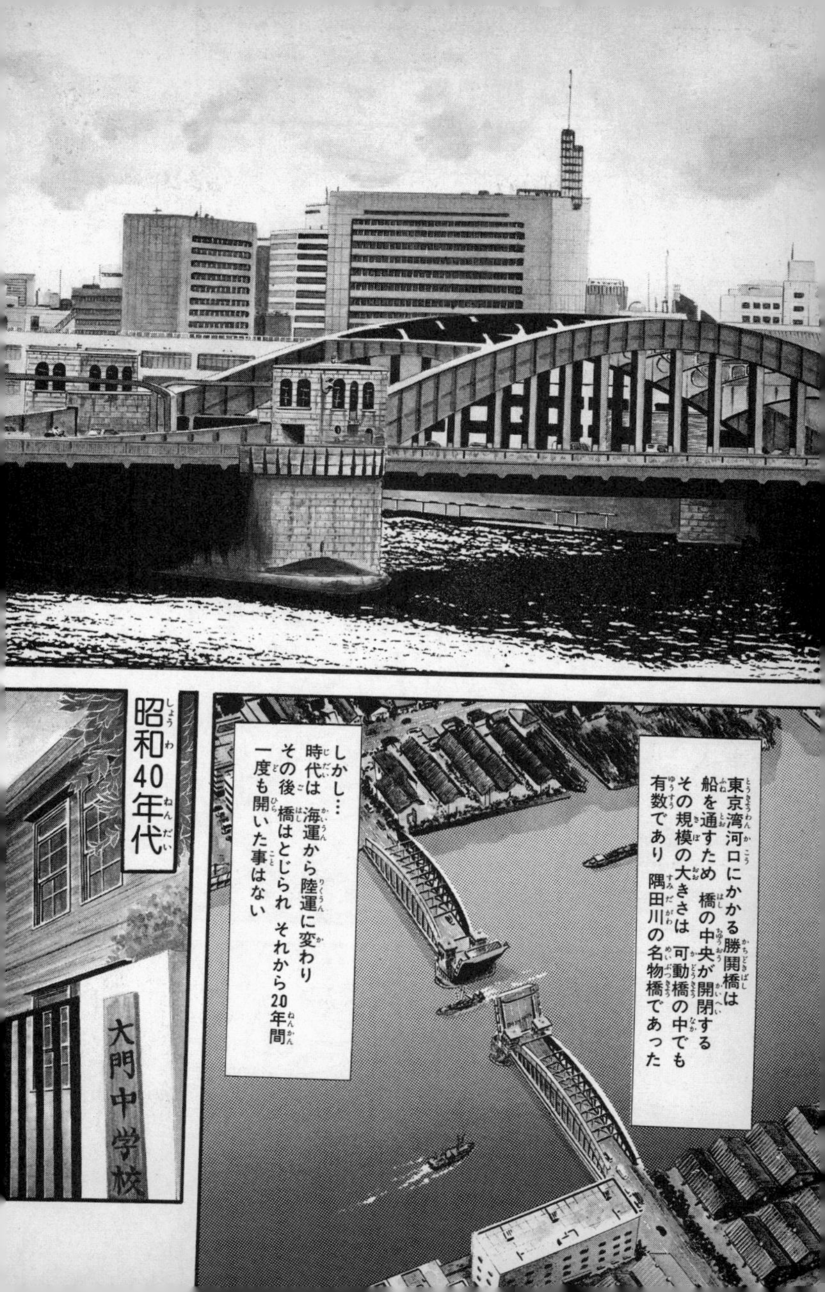
東京湾河口にかかる勝鬨橋は
船を通すため 橋の中央が開閉する
その規模の大きさは 可動橋の中でも
有数であり 隅田川の名物橋であった
しかし…
時代は 海運から陸運に変わり
その後 橋はとじられ それから20年間
一度も開いた事はない
昭和40年代
大門中学校

勝鬨橋ひらけ!の巻
ニチライ
はい
両津勘吉
大戸中
ダッ

ドカ
グル
グル
大回転宙がえり!
勘吉!!だれが空中回転しろと言った!
サービスです
ははは
勘ちゃんすごいよ!最高!
パチ
パチ
純くんおもしろかった!?
この次もまたやるから見てて!
白鳥純くんはお金持ちで頭がよくてぼくらとは正反対
でも体が弱く体育はいつも見学していた
純くん万博へ行ったのすげー!
でも混んでいてあまりよく見られなかったんだ

新幹線で行ったんだってとん吉のった事ある？
東武線しかのった事ない！
みなさんでめし上って下さいね
いつもすみませんねおばさん！
いいのよ！これからも純と仲良くしてね！
体育見学の時も勘ちゃんたち見てると全然退屈しないよ
勘吉のとりえは元気だけだから…
ゴン
今度ばく転見せるからさ
そのかわりテストの時はまた見せて！オレ両目2.5でカンニングむきなんだ
ははは
あれ？その本
うん
日本の可動橋
動物図鑑
船
世界の自動車
の歴史
これに前言ってた勝鬨橋が出てるんだ
そういうの好きなんだね
まだ勝鬨橋見た事ないの？純くん！
見たいのだけど…遠くにあるでしょう
近いよ銀座こえてすぐだよ！

昔は 橋に都電が
通っててさ!
車なんか全部止めて
橋がこう ゆっくりと
開くんだよ
橋の上で
見ると道路が
カベみたいに
せまってくるんだ
すごい
迫力だよ!
すごいな
この目で
見てみたいな
行こうよ!
これから
勝鬨橋へ
!
自転車で
行けば
20分くらい
だ!
ほら!
あれだよ
うわあ
あの橋が
開くんだ
!!
この辺から
ながめると
バッチリだよ
いつも
パン買って
食べながら
見てたんだ

船が来たぞ
やった開くぞ
それググ…と
あれ？
おかしいなお昼にはいつも開くはずなのに
どうしたんだろう
勝鬨橋変電所
えーっもう開かないの！
橋の閉鎖を惜しむ人たちが大勢来てたよ昨日は！
昨日開けたのが最後だ
もう可動橋の役目は終わったんだ
全然知らなかったな！
これも時代の流れで仕方ない事なんだ
ちぇっ！

もう勝鬨橋は開かないいんですか?
残念だが…
この橋はもう二度と開く事はないいんだ
ちぇっせっかく見に来たのに!
がっかりだよ!
純くんたのしみにして来たのにね
気をおとすなよ純!
………
次の日から純くんは学校を欠席しました
えっ転校!?
どうしたんだろう?病気かな
帰りに家に寄ってみようぜ

空気のいい北海道に引っ越す事になったんだ!
せっかくみんなと仲良くなれたのに
ひとつだけ心残りなのはあの勝鬨橋の開く所が見れなかった事さ
みんなで一緒に見たかったね
そうかあ純くん引っ越しちゃうのかあ残念だな
もう一生あんなおいしいケーキを食べられないな
テストもまた0点にもどるぞ
勝鬨橋の事ずいぶんがっかりしてたね
開く所を見せてあげたかったな
そうだ橋の開く所を見せてやろう!!
だからもうムリなんだよ
みんなで開けるんだよ橋を!
えっ!

ゴホン
ゴホン
コーン
コーン
おす
あっ
えっ
勝鬨橋が開くの!
そう!
早く早く
こっちこっち!
ジョン
すぐもどるから!
しーっ
体の方は大丈夫?
ゴホ
ゴホ
橋が見れるためなら平気さ!
ようし出発
ジャーー

やっぱりここが一番いいながめだな
純くんはここでまっていてね
ブブー
プアー
本当に開けてもらえるの？
心配するなよおれたちにまかせて！

4個のうちハシゴがついているのはあの塔だけだ
おそらくあそこが運転室だと思う!
橋を上げるから2人で車を止めてくれ
わかった!
ガチャ
やっぱりカギがしまってる
カーン カーン
しかしムダだ
開けるのは大得意
止まれ〜〜〜!!
橋が開くぞ!止まれ!
ブロロ
あっ!?

やはりここだな！
チャッ
すごい回路の数だ！
やっぱ電源入れないと作動しない！
どうやって動かすのかな？
こら！
勝手に車を止めたらいかんぞ！
勘吉！お巡りさんに見つかった
なに！

ガチャ
クル
こら
お前たち！
ドヤ
ドヤ
あ
うわ
ドン
あっ
ドアが！
ガチャ
だめだ
車も止まらないし
お巡りさんにも見つかるし！
ちょっと
計画が
無謀すぎた
やめよう！
ドドン
ばか！
純くんが
まってるんだぞ
本当に
開くの
かな…
ゴホ
ゴホ

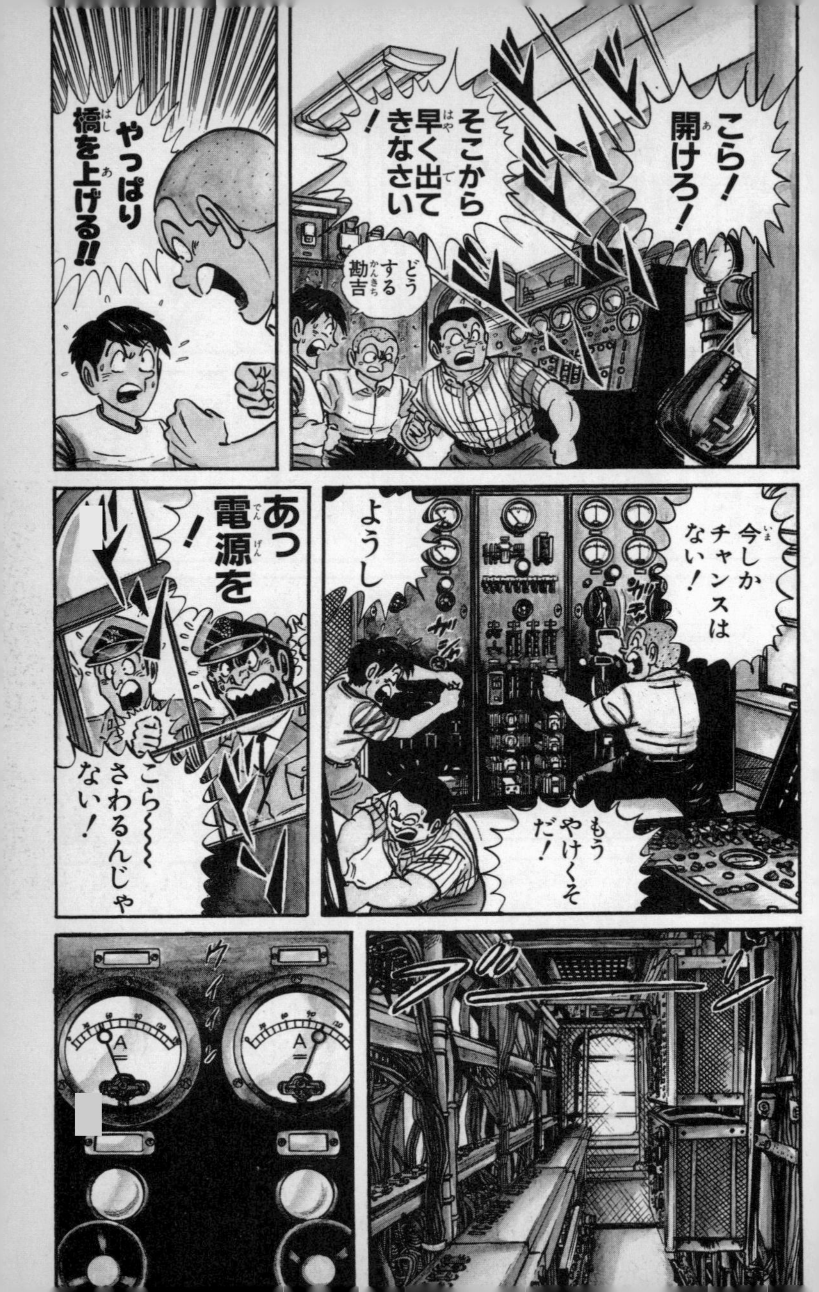

こら！
開けろ！
そこから早く出てきなさい！
どうする勘吉
やっぱり橋を上げる!!
今しかチャンスはない！
ようし
あっ電源を！
こら～～さわるんじゃない！
もうやけくそだ！
ブーーーン

メーターが動いた!
スイッチを全部入れろ!
ありゃ勝鬨橋の信号がついたぞ
ばかな! あの橋は閉鎖になったはずだぞ
パ
ツ
パッ
ブ
ブ
ブ
ブ
ア
たのむから動いてくれ!
勝鬨橋!!
ひらけ!!
ガ
イ

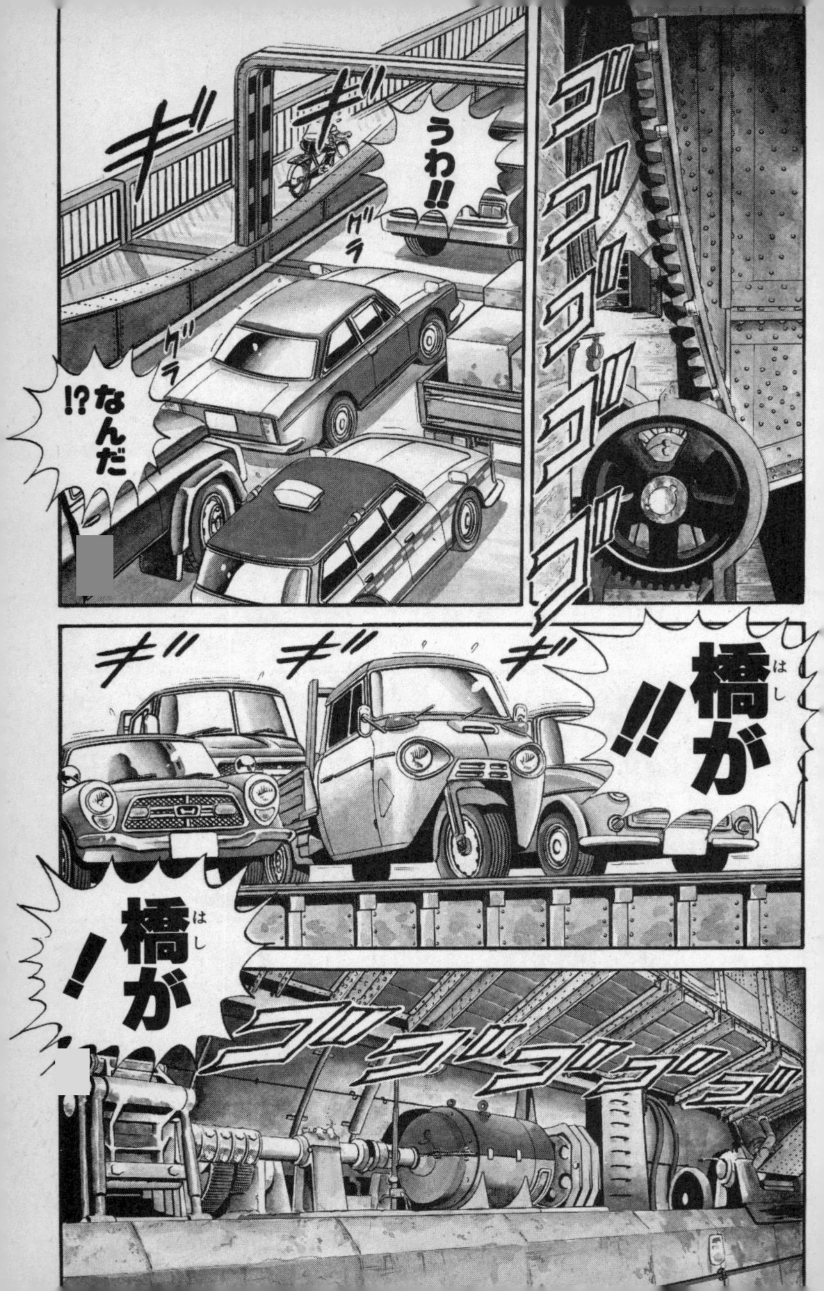
ゴゴゴゴゴ
ギギ
うわ!!
グラ
グラ
なんだ!?
橋が!!
ギギギ
橋が!
ゴゴゴゴゴゴ

ギギ
ギギ
ギギ
開いた!!
もっと!!
ギギ
昇降度指示計
下降
上昇
10
20
40
60
70
もっと!!
もっと高く!!
ギギ
ギギ
もっと高く!

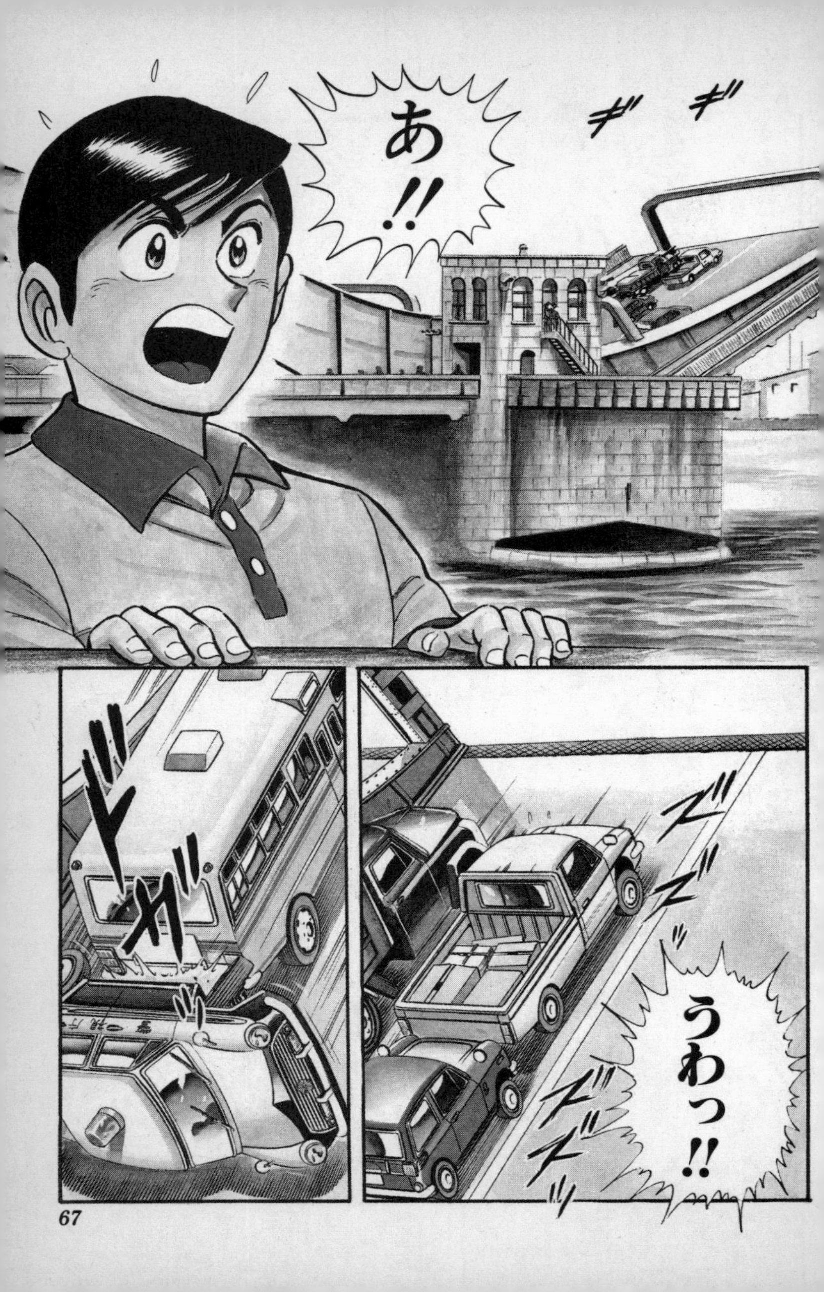
ギギ
あ!!
ズズズ
うわっ!!
ズズズ
ドガ

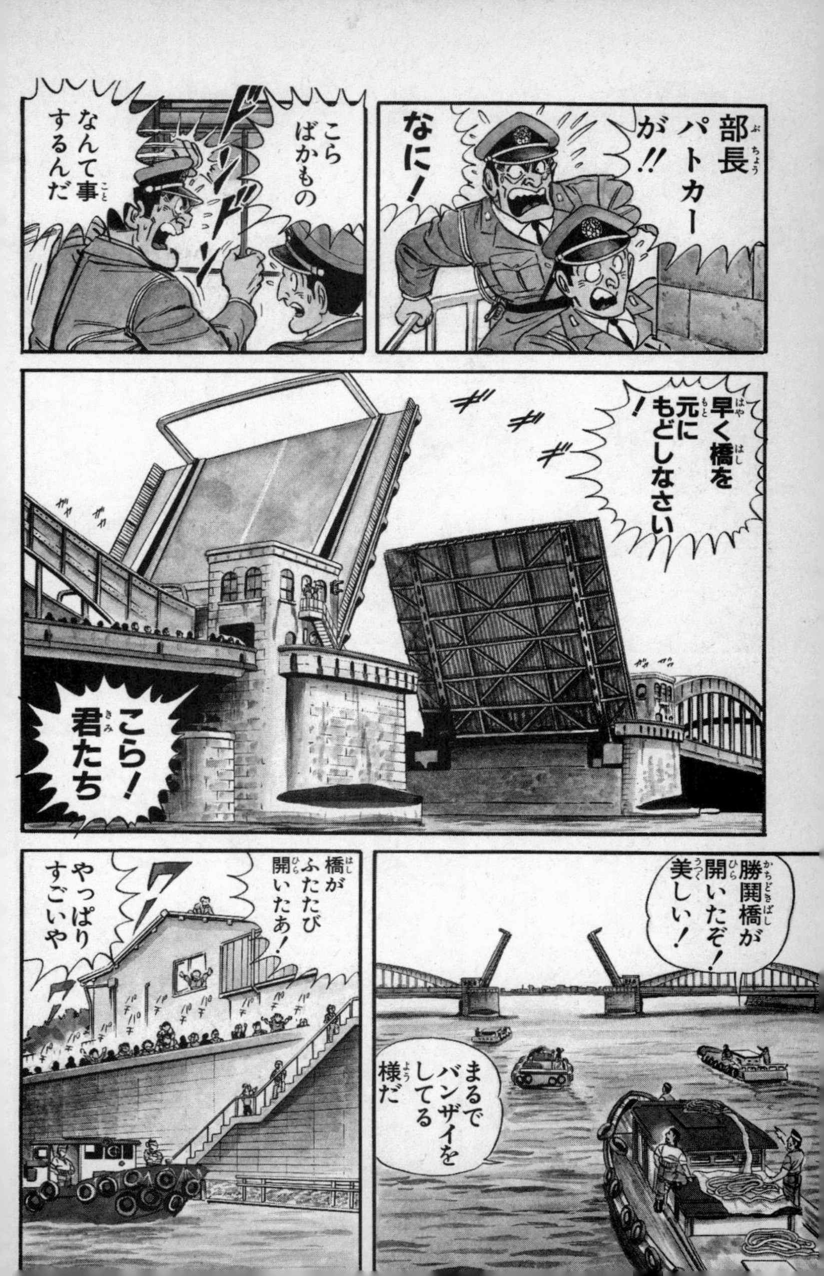
部長
パトカーが!!
なに!
こら
ばかもの
なんて事するんだ
ドン
ドン!
早く橋を元にもどしなさい!
ギ
ギ
ギ
こら!
君たち
勝鬨橋が開いたぞ!
美しい!
まるでバンザイをしてる様だ
橋がふたたび開いたあ!
やっぱりすごいや
パチ
パチ

勝鬨橋はやっぱああじゃねえといけねえや
ワー
パチパチ
隅田川の顔役ですからねェ!
本当にすごい!
ガヤガヤ
想像以上だよ勘ちゃん!
昇降度指示計
20
50
10
60
70
下降
上昇
やったあ全開だ
やったあ
純くん見ててくれたかな

あっ
パトカーだ!!
ウー
ウー
わはは
お前ら覚悟しろよ
全員逮捕してやるからな!
隅田川にとび込むぞ!
ガシャッ
えっ
バイバイ
あ!?
ダッ
こら!
逃げるな!!
またんかこら!

橋を上げっぱなしで逃げるなこら!
ドボーン
なんという少年たちだ…
おーい この橋なんとかしろ
ブブー
通れないじゃないか
プァー!
ガヤ
ガヤ
浜離宮まで泳いで逃げてまた舞いもどり大騒ぎを高みの見物してたよ
相変わらずやる事が豪快ですね
純くんもよろこんでいたでしょうね
そりゃあもう!あの時の興奮した笑顔は忘れられないよ!

本当にうれしかったよあの時は
そうだろうなあ
あっ純!?
20年ぶりだな勘ちゃん
元気そうだなあれから全然手紙もよこさないでまったく!
すまん悪かった手紙はちゃんと送ったぞ!
この本を送ったからな!
えっ
この人が…
あっ
著者
北海大学名誉教授
工学博士
白鳥 純
あの時命がけで橋を上げてくれた日の感動が忘れられなくてね
すっかり橋に魅せられてしまったよ

今日 東京へ来たのもほかでもない
・・ある計画があるんだ ぜひ 勘ちゃんたちをさそおうと思ってね
どんな計画だ
私のように勝鬨橋の開いた雄姿が忘れられない連中が集まってね
今年 勝鬨橋の50周年を記念しあの巨大な翼をもう一度上げようという計画をたてているんだ
上がった時は少年時代のようにみんなと一緒にながめたくてね
現実的にはかなり大変でまさに夢に近いがその夢をみんなで見たいんだ!
純! 心配いらんわしの部下にスーパー金持ちが2名いる! 彼らが私財をなげうてば金の勝鬨橋も可能だ!
ゴールデンブリッジですかムチャですよ


勝鬨橋ひらけ!の巻(完)

WJ連載1000回！

お祝いメッセージ

# 両さんへ一言！

## PART3

そのなみはずれた体力と知恵で、これからもガンバッテ下さい。〈京都府〉内山雄大

左脳が休まないうちに危険物取扱者試験の勉強教えてくれ。〈茨城県〉荒川一実

これからも、普通の人にはできないことをやりつづけてください。〈岐阜県〉矢島和典

下町の生き残りとして、もっと下町の事を教えてね。〈埼玉県〉伊藤直人

これからも、がんばってくれ。〈京都府〉青野遊馬

これからも、どんどん色んな物を破壊して下さい。〈東京都〉猪股陽一

これからも、我らの英雄として世間を生きぬいていって下さい。〈東京都〉佐々木一斗

その運で宝くじの一等をとって大金持ちになってくれ!!〈福岡県〉奥野秀明

あふれる力で、これからもハチャメチャなかつやくしてね！〈岩手県〉外舘宗幸

両さんの貯蓄法が数学の問題になっていたぞ、これにはおどろき。〈埼玉県〉久保直人

これからもVS部長戦楽しみにしてるぜ!!〈京都府〉深尾　聡

両さんの自由な生き方が素晴らしい！これからも大活躍してね！〈埼玉県〉田村元気

いつまでも借金をしないで、いいかげんに皆に返してね。〈埼玉県〉山本博和

これからもハチャメチャに暴れてがんばってください!!〈東京都〉村井優太

その子供心を持ったまま、これからも大活躍してね。〈愛知県〉岡田有治

両さん大好き。このまま独身でいて下さいね。〈宮城県〉石村ゆみ

その超人的な体力をこれからも維持してがんばってくれー。〈埼玉県〉河合晃太郎

普通の人の倍の体力と半分の頭のできでパワフルに活躍してね！〈東京都〉安藤峰央

勝負師魂万歳！これからも大暴れして下さい。〈長野県〉浅川俊彦

我が道を一人独走「両津さん」〈静岡県〉杉山　慎

いつか下町を案内して下さい。〈群馬県〉Y・W

相変わらずの超人的な活躍を、今後も期待してます。〈埼玉県〉石井明利

これからも、明るく楽しくみんなを楽しませてください。〈富山県〉舘森聖志

これからもその凄い力を世のため人のために役立ててね。〈茨城県〉永田　慎

両さんは私の心の恋人です。世界で1番愛してる♡〈岐阜県〉安藤章代

これからも遊びの鉄人の本領を発揮してがんばって下さい。〈大阪府〉杉谷秀純

これからも、間抜けなかっこよさでガンバレ。〈滋賀県〉小澤正幸

せめて二日に一回は風呂に入って下さい。〈愛知県〉森戸康介

ミカンの汁でパンツの洗濯をごまかしていませんか?〈愛知県〉森戸久子

これからも部長にしかられたってめげずにすごいことしてね！〈福島県〉篠田宏樹

二十年前私は八歳、両津勘吉！あなたはいったい何歳だ!?〈岐阜県〉木村俊信

今後も神出鬼没・多芸多才・短絡思考で大活躍してください!!〈長野県〉杉山　学

今回にちなんで、競馬で1000回当てる方法を教えてください。〈北海道〉ミストラル

たまにはくつ下をはきなさい！足におうよ!!〈長野県〉奥西健吾

体力ならNO.1。これからもこの力で大活躍を期待してるよ！〈埼玉県〉染谷大史

いい加減巡査部長になったらどうだ。〈大阪府〉矢倉徹也

悔い改めなさい！〈茨城県〉中嶋純一

いつもの笑いで今度からも大活躍して、みんなをふっとばせ。〈福岡県〉井手隼人

プラモデルやゲーム、機械が壊れたら、両さんなおしてね。〈鹿児島県〉赤崎慎二

これからもその江戸っ子魂で大活躍してね!!〈福島県〉生田目竜一

部長のぐちにも借金とりにも負けずガンバッてください。〈埼玉県〉加藤正弘

両さん、これからも、ぼくたちを楽しませてください。〈群馬県〉松岡泰樹

これから寒くなるけど、カゼをひかずみんなとなかよくね!!〈大阪府〉中川泰志

本業が何なのかわからないけど、これからも大暴走してください。〈山梨県〉赤坂みゆき

両さん、愛してる…。〈高知県〉高井麻子

下町の暴れん坊両津勘吉。そのパワーでこれからも楽しませてね。〈神奈川県〉山崎正勝

下町の少年的中年警官に栄光あれ！〈東京都〉岡田　宏

両さんのパワフルで、不況なんかふきとばして下さい。〈愛知県〉宮澤賢一

これまでも、これからも、ずっと人生の師匠両さん頑張れ!!〈愛媛県〉芳村　純

下町についてもっともっと教えて下さい。〈埼玉県〉厚海健一

左脳と右脳を動かして、みんなをひとあわふかしてな！〈徳島県〉河井公太郎

いつまでも江戸っ子気質とズルさを失わずに歩み続けて下さい!!〈和歌山県〉上江武啓修

いつまでもそのすごい行動で〝こち亀〟の世界を暴れまくってね！〈静岡県〉伊藤彰彦

自由奔放な生き方を、御指導御鞭撻のほどお願いつかまつり候。〈大阪府〉佐藤貴将

これからもパワーあふれたご活躍を期待しています。〈熊本県〉布川　明

祝1000回！これからもがんばれ!!〈山口県〉松田真幸

両津勘吉、永遠に暴れてくれ。〈大分県〉野原信男

同年代の同じ公務員代表としてこれからも目立って下さい。〈兵庫県〉北風好健

祝！一〇〇〇回突破!!勘ちゃんは永久不滅。〈東京都〉百瀬洋海

なみはずれた体力と仕事以外に働く頭でこれからもがんばってね。〈静岡県〉稲葉宏光

やっぱ部長や、カタ屋、肥え溜にゃついてねえよなあ!!〈長野県〉山崎匡一

両さんは、いつになったら結婚するんですか?〈岩手県〉小笠原将人

両さん、これからもぼくたちを笑わせ続けてね。〈茨城県〉峯岸　誠

これからもパワフルな行動で、豪快な笑いを期待しています。〈愛知県〉滝藤邦弘

強靭な肉体と超破壊力で、今後も地球を壊し続けて下さい。〈千葉県〉福永　真

ずっと大好きです♡今まで以上に元気で活躍してね！〈埼玉県〉田中美加

これからも部長のイヤミに負けぬ様に頑張って下さい。〈神奈川県〉鈴木高士

我らの両さんこれからも暴走してください。〈東京都〉長井政明

祝1000回！驚異のパワーでこれからもガンバって!!〈栃木県〉上野哲志

単行本二百巻、話数二千回達成してください。応援してるぞ。〈宮城県〉小野　竜

ひな祭り　三月三日は　両津の日〈群馬県〉中林大樹

これからもその明るい性格で僕らを楽しませてください。〈群馬県〉林　伸彦

両さんのマッスルボディーでこれからもがんばって。〈千葉県〉楠本健太郎

けだもの両さん、これからもガンバレ！〈茨城県〉きくちかずま

こちら葛飾区亀有公園前派出所 別注
こりゃまたまよってすまった
どこか交番は…ああった
あの交番をたずねてみるべ…
よっこらせっと…
始末書の両さんの巻
亀有公園前
亀有公園前派出所
交通

よっこらせっと
ザッ
あ あんのう ちっくら おたずね すっけど…
……………
5-4-2 81 1 5+5 7-2 3
ゴックン
よ ようし………
いいぞ……
にげきれ！ドンケツ シンボリー
なに!?
きたか！ハイシチズンめ！
ガバッ
な なにを こしゃくな くそ！
ビクッ
がんばれ！ドンケツ シンボリー オレが ついとるぞ！
……………

だっだめだ！だめだあ！
ガタ
おれをうらぎるつもりか！ドンケツシンボリー
ガタ
特券10まいかったんだぞ10まい！
ガタ
ガタ
ガタ
あっ……
……
……
ぽかっ
ハイシチズンが一着です
ドンケツシンボリーはペケでした
……
……
……
あ あのおまわりさん……
なんだときさま本官をバカにする気か!?
おまわりとはなんだ！
巡査さんとよべ！巡査さんと！
そんだら巡査さん……
道さききたいんですけど…

どこへいくんだどこへ!
ジャブッ
ちょっくらまっててくださいえ〜〜〜とあ あった!
友倒れ工業株式小会社……
この近くときいたんだけんど……
友倒れ工業ね……え〜〜〜
友倒れ……と
きいたことないね そんなの!まちがいじゃないの
そ そんな事ねえす!
たすかこのそばだと駅前のおまわりさんにきいたす!
田舎から10時の汽車で上野さついてここまできたども……
なんせ東京ははずめてなもんでハー
駅前の交番の人は親切に地図まで書いてくれたども…
近くまできてまよっちまって…

まよったら
すぐ交番に
はいって
きさなさいと…
あ……あら？
ガシャン
わしが うそを
ついてると
いうのか！
わしが ないと
いったら ぜったい
にないのだ！
そ
そんな
ムチャク
チャな…
競馬で スって
頭にきてる時に
ゴタゴタぬかす
と 本当に
おこるぞ！
早く
どこかへ
行ってしまえ！
わっ
わかっ
たす！
東京は てめえ
みてえなやつが
くる所じゃねえ
さっさと
帰りやがれ！
はーい
ふん！
まったく
もう！

あーあ
よけい
イライラ
してきたよ
まったく
……
……
なんだてめえら！
見せ物じゃねえぞ！
きゃあ！
うわぁ
たすけて
くれ〜〜
どいつも
こいつも
………
はあ
はあ
グー
キュル
キュル
そういえば
お昼はまだかな？
ハラへったな…
キキッ
へーい
おまち！

まさに台本どおりだな へへへへへ
はっはっ
まいど
ハラペコだけにじつにうまそうだ
おっとお茶をいれてからたべるか
お茶お茶……と
ガラッ
ニャーン
天丼なんてひさしぶりだな いつもモリソバばっかりだからな
お茶でものみながらゆっくり味わおう…
コポコポ
あさって給料日だからいいだろう……
へへへ…
ガラッ
あっ また あのドラネコめ!
ガツガツ
よ ようし! そのまま動くんじゃねえぞ……
ススス

いつもいつもたべられてばっかりじゃねえぞこのドラネコやろうめ!
ムシャ ムシャ
ガツガツ
ガツ
パク
カチ!
このまえはモリソバにつゆつけてネギまでいれてたべやがって……
今日という今日はただじゃすまんそう思え!
タン!
ペ
殺気
このやろう!
ドギャッ
ドギャッ
ドギャー!!
てめえ!
くそ!!
ドギャッ
まて…にげるかひきょう者め!
きゃあ!
ダッ
DRAWING
ドギャッ
ビッ

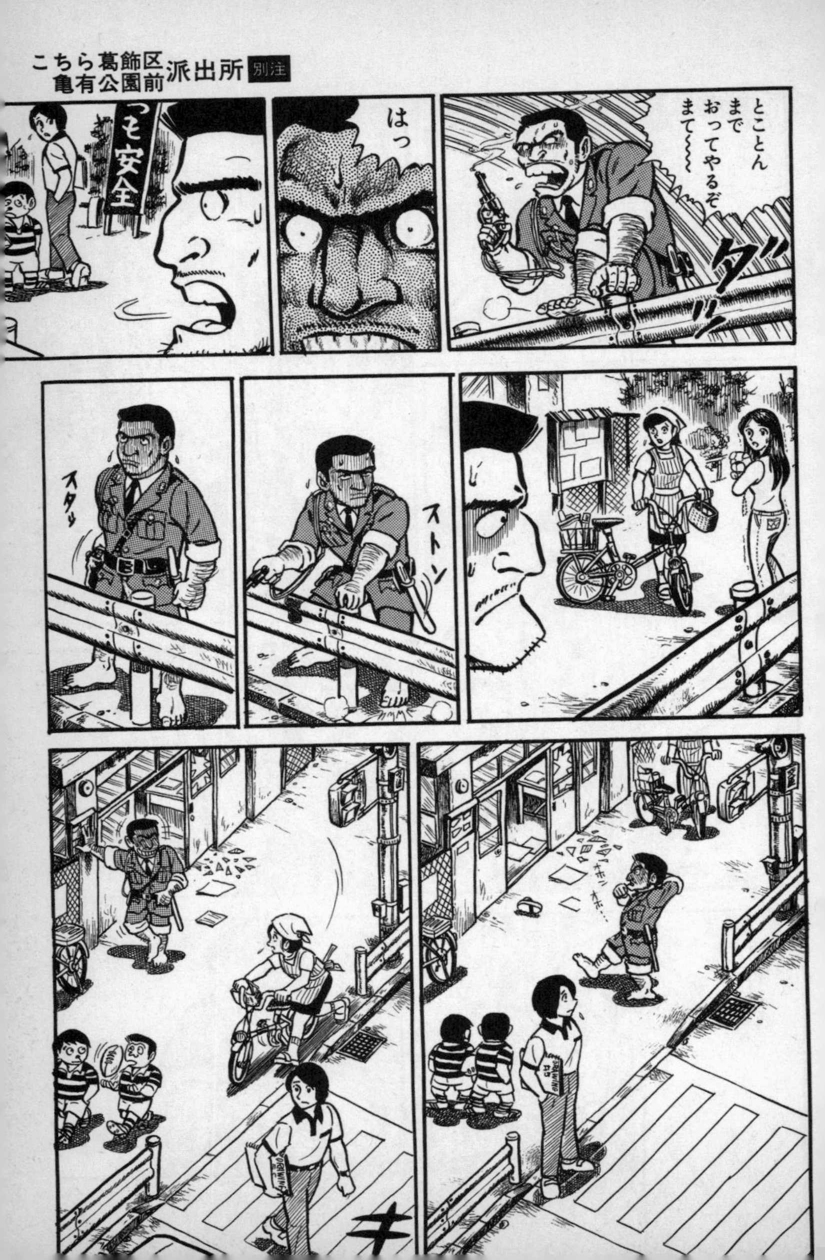
とことんまでおってやるぞまて〜〜〜
ダッ
はっ
つも安全
ストン
スタッ
オホン
オホ…
キ

いかん!いかん!
ハラへってると本官はなにをしでかすかわからん!
まったく自分でもおそろしくなってしまうよ
なんてこった今のさわぎで全弾うちつくした
また始末書を書かんといかんな…
バラバラ
カラの拳銃なんてぶらさげていてもなげるくらいしか役にたたんと思うが……
まあいい外からみただけじゃわかるまい
それよりメシにしよう
スタ!
さいわいに銃撃戦のかいがあってエビ天が一ぴきたすかったからがまんするか
さーてそれじゃたべ………
!?
なんじゃいこりゃあ?
ヒラヒラ
あっ
中身だけたべやがった!

なんのインガでころもだけの天丼をたべにゃならんのか
ネコのあまりなんてなけてくるよ
パク
パク
はてそれにしてもいつお茶づけにしたかな?
まだお茶をいれたおぼえがないが……
クン
クン
変ににおうな
ドキッ
……!
ザー
ザッ
ガボッ
ゴボボ
ジャ
ザー
ゴシ
ふうまいったまいった
これが元で十二指腸潰瘍にならなきゃいいが……
ギュ!!
立入禁止
少ししかたべなかったからまだハラへってるよ
パンでもかってくるか!
パンも値あげで今は高いだろうな……
おい寺井パンかいにいくから留守番たのむぞ
寺井!

寺………
そうか！やつは今病院にいやがるんだ！
たしか先日パトカーにはねられて重体だとかいってたっけな
こまったな交番をカラッポにしていくわけにもいかんし
通行人にかってこいとたのむのも…
さりとてハラはへるし相棒がいないとなにもできないな
そういえば部長今日から新入り警官がここへくるといっていたがおそいよな……
もう1時をまわってるというのに…
どんなやつがくるかな？
わしごのみの美人の婦警さんがやってきて"両津さんよろしくおねがいします"
なんてことはぜったいありえないだろうしな
先にいた松本のようなユニークなやつだといいがな……
マヨネーズのいっきのみがとくいだったな
じつにおもしろい野郎だったアハハハ
キキー
バタン
タ

こちら葛飾区亀有公園前派出所 別注
運転手くん代金は署につけといてくれたまえ
まいど～
バーッ
あなたが両津巡査長さんですか?
ああ…うむ わしがここの亀有公園前派出所の両津だ!
本日からここの派出所に勤務する事になりました中川圭一です!
よろしくおねがいします先輩!
ピッ
まあいいいい
そう かたくならんで楽にいこう 楽に ははは

わしが むこうの 机 お前は こっちの 机をつかえ
本官は パンをかってくる から 留守を たのむぞ
ついでに この中も 掃除しといてくれ ホウキは 表に たてかけてある たのむぞ
はい!
小岩井
モグ モグ
おい! 中川 とか いったな
はい なんで しょう 先輩!
さっきは パンに 夢中で 気がつか なかったが
お前の 制服は わしの とだいぶ ちがうな!?
おっ これですか? ははは さすがに お目が高い これは ピエール・エロダンの デザインです
制服用に 特注した服 なんですよ
ネクタイも いやに チャラ チャラ してるじゃ ない?
なーに 気にしないで 下さい 安物ですよ フランス製で ほんの2万円…

最近 署へいっとらんがい、い、さばけてきたなそんな服をゆるすなんて
いやあけっきょくだめだといわれましたがね………
タクシーの中できがえたんですよやはり警官も個性の時代ですからね
……
……
そうかあやるなあお前も!
いやあ気があいそう
いやあははははそれほどでも
先輩だって署内じゃ有名ですよ
なんでも"始末書の両さん"とか
なんだときさま先輩にむかってその言い草は!
い いや ぼくが言ったんじゃないですよ!
署にいる庶務課のかの女たち
けしからんなそんな根も葉もないことをいってるなんて!
しかし本当のことだからな…
ところで先輩!
派出所勤務っていったいどんなことするんですか?

道をきかれたらおしえたり…
交通違反の取りしまりをしたり…公園内をみまわったり……
日夜 住民のためにがんばってるわけだ
ほーけっこういそがしいんですね
あったりめえじゃんか都民が毎日安心してくらしていられるのはひとえにわしらのおかげよ!
わしらがいるかぎり日本の前途には後光がさしてるってわけだ はははは
じゃあわるそうなのみつけしだいに…
バギューン
と……
なななんだその拳銃警官装備用と違うんじゃやない
はいアメリカのS&W社からとりよせた拳銃です
目だつようにニッケル仕上げにしてもらったんですがね
44 MAGNUM
先輩のニューナンブよりふたまわりほど大きいですよ銃身が3.5インチほど長いですしね!
なるほど長いな…
拳銃は日本製よりアメリカ製にかぎりますよ
ほう……

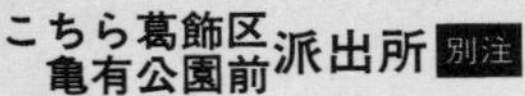

みかけのわりにかるいでしょう Kフレームでできてます
映画 ダーティーハリーで イーストウッドがつかうのをみてしびれましてね さっそく米国からとりよせたわけですよ はははは
弾丸は44スペシャルです
ダーティーハリーみなかったんですか？ あのすばらしい映画ぼくら 警察官の鑑ですよ！
わしはどちらかというとポルノ映画のほうがすきだからな……
ハハハハ
こんな物つかうとは……
感激しましたよ 特に銀行ギャングの車にむかってうつシーンはもう涙がでるほどです
イーストウッドのあの大きな手でこのマグナムをにぎりしめて…
そうだな…あっちょっと あのライトバンが銀行強盗の車と仮定しますね
お おい本当にうつ気かお前！
うちませんよ ただ そのシーンを説明するだけですから
ここからがいよいよクライマックスなんですよ いいですか 始めます
うむ わかった
にげる犯人の車にイーストウッドは少しもあわてずふところより さっそうと このM29をとりだす！

世界で最も強力なパワーのあるこの拳銃とてもまともにはうてやしない
そこで腰をひくくして足をひらきスタンスをひろくとる
おちついてかつすばやくこの動作をおこなう!
ふんふんなるほど……
そして大型拳銃独特の両手保持射撃姿勢をとる
そして……
そして……あの犯人の車にねらいをさだめて……
ねらいをさだめ……
グググ
おおい あまり本気になるんじゃない! 中川!
ババカ そこまでリアルにやるやつがあるか!
いけね! 引金がフェザータッチで敏感にしてあったのをわすれていた!
いいからかくれろ!

先輩
さっきのライトバンどうなってます？
しらんとぼけちまえばわかりゃしねえよ
本日休業
しかしむこうはごまかせてもお前の拳銃の弾丸が1発へってるのはごまかしきれんぞ
スペアをもってくるべきだったなあどうします？
心配するなこんな事にはなれて…いやこれは午前中までの報告書類だ！
うまく書きなおせ
さすが先輩恩にきます！
ふう……どうやらごまかせたようだな
まったくこの任務は神経をつかうよ………
先輩うまくつじつまをあわせろったって午前中は駐車違反1件きりだけじゃないですか！
そこをうまくごまかしまとめるんだよお前

そんなものですかね……
あたり前だ そのくらいの事ができなくてどうする！
それじゃこんなのはどうでしょう
私が駐車違反を注意するとその男はいきなりナイフをもって襲いかかってきたので 私は身をかわしてその男のにげる所を威嚇射撃した……
クイ！
ん〜〜〜
少しまだよわいな…
たとえば相手にナイフでなくオノとかをもたすとか
車のトランクから散弾銃をぶっぱなしてきたとか……
そのな…迫力がたらんのよ
それじゃあこうしましょう
私が注意をするといきなり散弾銃をうってきて手りゅう弾をなげつけてきたので 私は身をかわし その男がにげる所を1発威嚇射撃をした……
まあそんな所だろうな
よかった！やればできるものですね しかし先輩よくイメージがわきますね かんしんしますよ
まるでいつも自分がいやなんでもありません
それからついでにそこへ5発たしといてくれや！
ポン
なっ
えっ!? なぜです？

まあ いいから いいから こまかい事に気を使うと出世せんぞ はははは
はあ? じゃ 計6発 発砲する…と
ふう やっとできた ……しかし これ 本当に信用してくれるかな?
チラ!
あーあ まだ あと 2時間もあるのか
ふあ〜
たいくつですね トランプでもしましょうか?
なっ なに!!
ガタッ
じょ じょうだんですよ はははは 軽いじょうだんです
どうして もっと早くいわなかったんだ!
さっそくやろう!
ああー!!

しかしトランプなんてのはガキのやる遊びよ！
わしらの年代なんたって花札にかぎるって！
そそんな所に…
オイチョカブできる？
ええまあ少し…
ようしそれでこそ一人前だ！
まず親ぎめからだ
わしからいくぞ！
それ！クソサクラだ
今度はぼくの番ですね
雨だじゃぼくが親をやりますよ
ひさしぶりでワクワクするなひひひひ
ん…
どうしたんです？先輩？

ちょっとくばるのまってろ………
はは はは…
おまわりさんが勤務中に堂どうと花札なんかやっていていいのかね?
まったくふまじめですなあ
ややや こっちのおまわりさん拳銃に手をかけましたよ
こっちへきますよ 私たちをうつ気でしょうかね?
ま まさかおどかしているんでしょ
で でもおこるとなにするかわからんと評判だぞ……
ジリ
ジリ
ガラッ
うぎゃ でたあ!
ひゃあ
たすけてくれェ
ここじゃおちつかん 奥のざしきでやろう!
え? ここカラになっちゃいますよ
かまわん! どうせ奥にいるんだからな それに交番にはいるドロボウもおらんだろう
早くこい!
そりゃまあそうですが………
じゃあやりますか!
ガラガラ…

交通
押ボタン式
正しい横断いつも安全
ブロ
ブロ
すいません ちょっと道をききたいのですが……
だれもいないのかな？
あっ！
ガラッ
ビクッ
なんだってんだ うるせえなあ もう
なんの用だ！ 早くいえ！
ジーーっ
まちがえたかな？
いや？ たしかに交番だ ここは？
あの 大学館へいきたいのですが……
大学館？ それならあの駅から省線にのり一ッ橋でおりてすぐだ
どうも……
いや なに
今の顔どこかでみたような気がするけどな…
指名手配
爆弾犯人
気のせいかな？

いや! それどころじゃないんだ! 今は
わしがまけてるんだっけな!
ダッ
いやあすまんすまん さあ早くくばってくれ もう一回だ!
えっ まだやるんですか?
制服 装備はおろか 拳銃や携帯受令機までかけちゃって
こんどは…?
なにをいうか 奥の手があるぞ! さっさとくばれ!
じゃ この一番で終わりですよ もう…本当に
ゴソ
チャッ
最後の決定版 亀有会館で 今やってる 関西ストリップの回数券だ!
バーン
………
ようし これで全部とりかえすからな… ん~~ 思案のしどこだ
どうします? もう一まいですか?
ようし 男は度胸! もういっちょう
……
パチン
げっ! ニゾウか!! しまった!

先輩
さっきの帳消しにしますから せめて制服だけでもきてくださいよ
今日のような暑い日は このほうが 軽快で働きやすいもんだぞ はははは
パタ パタ
うるさい 男が勝負でまけたものをうけとれるか!
強情だなあ…
たたいへんだ! ケンカしてますぜ!
なにっ
ガタッ
よし まってろ今すぐ本官が…
あっ そうか
おい新入り すぐいってこい
えっ
ぼ ぼくじゃわかりませんよ
まだ この交番にきたばかりだし……
わかった わかったよ オレがいきゃいいんだろ! オレがいきゃ!!
だから… ね この服を……
この雨ガッパ 少し小さいが このさい しかたない

先輩！いくらなんでもそれじゃあじょうだんがすぎますよ ムリしないできがえてください
交通安
NOTE
カラン
コロン
お前はここで留守番をしていろちょっといってくるからな
カラン
ああ先輩！
本当にいっちまったよ
あんな姿だと言っても警官だれも信用してくれないだろうな…
佐渡ヶ島酒店
酒類 食料品 佐渡ヶ島酒店
すし
ガヤ
ガヤ
ガヤ
PEPSI
青十字販売
HONDA
おらどいたどいた
なんだケンカはもうおわったのか？
交通安

ケンカじゃないよ 店の金かっぱらった男と この店の店員が ここでとっくみあって けっきょくにげられたけどね
ふんふん なるほど 窃盗事件か
あんたが酒屋の従業員ね くわしく状況を話して…
はあ… 私が奥ではなしていると…
!?
ところで いったい あんたはだれ? なんでそんな事を聞くんだよ!
なんでったって これがオレの仕事だ 文句あっか
こっちはいそがしいんだよ 大損害したんだからな!
だからこうしてオレがきたんだろう このやろう
ボキ
なんだと!
なんだとはなんだ!
なんだとはなんだとはなんだ!
はい こちら亀有公園前派出所……
あっ
なにやってるんですか 先輩!?
いや なにね 酒屋の主人がわしが警察官だといっても信じてくれんのだよ はははは
お前がきて説明してくれんか……
うん そうだ
なるべく早くな…

こちら葛飾区亀有公園前派出所 別注
どうもすいやせん つい最近ここへこしてきたもんで…
なーに よくある事だ気にするな はははは
あの おまわりさん かっこいいわ…
現代的センス
あっ こっちをむいた きゃー
チラリ
きみたち ぼくはそこの交番にいるから いつでもあそびにきたまえ…
よかったら今度パトカーで江戸川へドライブにつれていってあげよう
うわあ うれしい 本当!?
本当さ ぼくは美人にウソをついた事はないよ
おーい なにしてんだ
それじゃ! あそこにいる凶悪犯人の護送の途中ですから これでしつれい
わしの事なにかいったか?
えっ!?
いやあ いい先輩だって話していたんですよ
なんじゃい そりゃあ皮肉のつもりか
あれ? なんですか? それは…
あ〜〜〜 カンビールじゃないですか! 勤務中にそんなのかってきていいんですか?
ばか! 酒屋の主人にお詫びにうけとってくれといわれたんだよ
ことわるのもなんだから…頂だいしたんだ 文句あるか!

ガシャ
少しの間留守にしてたけど まさかドロボウがはいらなかったろうな
そんな度胸のあるやつはこのへんにゃおらんだろう
ガチャ
しかし どうするかな この ビール ここへおいとくと 3時の引き継ぎの連中にのまれるかも…
さりとて 12本ものめない
朝日ビール
ビール 12本入り
ことも ないか… お前も のむか? 3時までだ 全部のんでしまえよ
それじゃ ぼくも お手つだい しましょうか?
ぷしゅーっ
ふう~~い あせってのんだから 味わう ひまもなかったな…
ゲップ
おう 交替が おいでなすったぞ!
ヒック
ぎょっ!!
巡査部長! なんで また いっしょに!
そんなにおどろく事はあるまい 月例調査にきただけだ
それは 来週じゃ なかったんですか
今月から 抜き打ち 調査になったのだが そのカイ あった
ゴホ
きみたち ふたりは どうも都内の 交番には むか ない気がして ならない
わしが もっといい 派出所を さがしておこう…
ブ

……とかなんとかいわれて交替ナシで食事とねる所ついて
かよう必要のない派出所を紹介するよなんていっていたけれども
しかし先輩!そんな悲観したものじゃないですよ いい所じゃないですか空気もいいし
ばか!そのかわりパチンコ屋も酒屋も映画館もないんだぞ!
しかしよく まあこんな所をめっけたもんだ部長は……
ノサップ岬派出所
先輩 今日は天気がいいからクナシリ半島がよーくみえますよ!
ギャァ
ギャァ
もういいみあきたよ………



始末書の両さんの巻(完)

WJ連載1000回！
お祝いメッセージ

# 両さんへ一言！

## PART4

両さんの時たま見せるやさしさが大好きです。
下町の昔も今も変わらない心意気だぜ!!
野良犬の様に鼻をきかして耳を立て活躍してね。
『強引グマイウェイ』その精神をこれからも忘れないで下さい。
兄さんの金がかかった時の勝負強さは世界一だと思う。
これからは、連載五千回を目指して大暴れしてくれ！
かいぶつなみのパワーでゴキブリや部長との対決ガンバッテね！
これからもその無法警官ぶりで活躍してね。
ボケるとこ、わざとらしいとこなど、ばり好きやで！
これからも、主役をとられないようにかつやくしてね！
ジャンプやテレビで大いに活躍する事を期待しています。
両さん、早く麻里愛を幸せにしてあげて下さい。
両さんの漫画家としての才能もまた見せて下さい。
下町人情あふれる活躍を、期待しています。
これからもそのパワーでぼくたちをもっと楽しませて下さい。
これからも、がんがん暴れまくって下さい。
うおーっ1000回おめでとう両津勘吉日本一！
男らしい両さん、はっきりいって僕のタイプです。がんばれ。
ありがとう両さん、おめでとう両さん、これからも両さん。
迫力満点で、自由気ままな生活を続けてください。
ちゃんとまじめにはたらいて大活躍してね！
これからも世界中で大暴れして下さい。めざせ！世界の両津！
そろそろバカばっかりやってないで結婚でもしておちついてね。
これからも部長へのいいわけをがんばってね！
これからもそのままのキャラクターで大活躍して下さい!!
これからも漫画やテレビの中を縦横無尽に暴れてください！
ジャンプの中の寅さんとして下町の男としてガンバレ!!
これからもいろいろな遊びに挑戦していって下さい。
こち亀が1000回突破してもハチャメチャに大暴れして下さい。
僕の生まれる前から活躍している両さん、これからも頑張って！
子供なみで、訳の分からない頭脳でガンバッテ!!
祝♥連載1000回！私は死ぬまで一生両さんについていきます！
これからも下町の魂全開で日本を明るく楽しくしてください。
無計画！無鉄砲!!無貯金!!!これからも期待してます。
われらが英雄両さん!!寅さんは決して越えられない壁じゃないぞ！
両さんの迫力さが好きです。この次もあばれまくってください！
あなたの胸毛にドキッ。

〈神奈川県〉小野さゆり
〈佐賀県〉西村和隆
〈大阪府〉西尾恵子
〈岩手県〉中嶋一良
〈北海道〉前田真志
〈富山県〉久和伸哉
〈石川県〉新出大輔
〈宮城県〉安田良彦
〈兵庫県〉初田雅之
〈岐阜県〉不破佑樹
〈埼玉県〉尾崎　仁
〈静岡県〉田中康文
〈千葉県〉柴田　学
〈秋田県〉三浦和宏
〈北海道〉岩村圭輔
〈神奈川県〉宮澤泰輔
〈滋賀県〉高木晶生
〈長野県〉渡辺和人
〈大阪府〉田中健次
〈兵庫県〉武田祐一
〈栃木県〉猪瀬陽介
〈福岡県〉蒲池和明
〈山口県〉吉田浩士
〈北海道〉川口　渡
〈香川県〉上里浩二
〈京都府〉井上健太
〈埼玉県〉竹日　創
〈兵庫県〉林田弘平
〈埼玉県〉笹沼　遼
〈愛知県〉後藤健次
〈東京都〉俵　雅史
〈東京都〉上岡知寛
〈東京都〉川崎　亮
〈大阪府〉藤本浩行
〈千葉県〉山口亮介
〈神奈川県〉本多孝之
〈福島県〉神田秀美

これからも自由多彩な顔で俺を圧倒してくれ。
両さん、下町生まれの元気さでがんばってね。
祝1000回、大きくジャンプし立派な警察官になれ、両さん。
永遠の少年！両さんこれからもがんばって。
部長にめいわくをかけずにこれからもガンバッテ下さい。
部長や麗子に負けず、これからもおもいっきり笑わせて下さい。
発砲件数日本一の腕前でこれからもがんばれ両さん！
たまには、親不孝じゃなく親孝行でもしたらどうです。
ゲームの達人両さん。そのすごい力でみんなを驚かしてください！
人気投票での票のとり方がスゴい！こんな主人公他にいないぞ。
これからも両さんの大活躍を期待しています。がんばってください。
あなたならゴルゴ13でも殺すことはできません。
そのはちゃめちゃさ・義理と人情にいつもシビレまくってます。
あなたは僕の人生の目標です。永久に暴れ続けて下さい。
がんばってね。あということがあったんだ。死ぬなよ。
今までと同じ様に波乱万丈に生きて下さい。
これからのかつやくをきたいしています。がんばってください。
両さんのつながりまゆげが大好きです。
二十年間変わらぬあなたが大好きです。
部長にまけないようにこれからもがんばって。
天下無敵の超戦士！両さん!!
やっぱり、両さんあっての『こち亀』だよ。これからも頑張れ!!
これからも悪知恵でガンバレ!!
年も取らないその若さと宇宙人なみの生命力でがんばって下さい。
一〇〇〇回やろうが二〇〇〇回やろうが両さんは自由にガンバレ。
過激な人生に憧れます。そのパワーで21世紀も大暴れして下さい。
世界中の誰よりもハードな生き様に惚れてます。
何にでも万能な両さんがとっても好きです。
これからも、面白いギャグで僕達をわらわして下さい。
両さんの勢力を世界までのばし、つっぱしっていっておくれ!!
誰にも負けない根性とパワーを持つ両さん。これからも応援します。
そのパワーで、宇宙征服目指してこれからもがんばってね！
細かいことを気にしない両さんの生き方が好きです。
もうちょいで、同い年になるからそしたら酒でも飲もうや！
ブームを即座に商売にするアンタは偉い!!商売人の鑑だ!!
息子（雄太）も巻き込んでファンになってます。ずっとガンバレ！
これからもマニアぶりを存分に発揮して、がんばれ!!

〈三重県〉植田拓也
〈神奈川県〉工藤寛之
〈神奈川県〉平野　稔
〈東京都〉長井政明
〈東京都〉大野将弘
〈神奈川県〉吉田　寛
〈北海道〉朴澤憲和
〈千葉県〉今井信吾
〈神奈川県〉貝瀬弘規
〈東京都〉堀口育男
〈京都府〉久保吉樹
〈北海道〉谷川竜也
〈千葉県〉松本誠司
〈栃木県〉小倉　崇
〈東京都〉李　喆樹
〈広島県〉首藤寛行
〈大阪府〉松原　豊
〈栃木県〉薄井智幸
〈埼玉県〉渡辺明宜
〈千葉県〉桐ヶ谷誠二
〈東京都〉長井政明
〈埼玉県〉村田浩司
〈愛知県〉矢島栄二
〈兵庫県〉多谷英一
〈京都府〉藤田敬也
〈愛知県〉加藤靖高
〈愛知県〉横山忠雄
〈埼玉県〉渋谷庄治
〈千葉県〉田中貴晃
〈愛知県〉神戸規宏
〈神奈川県〉佐藤左夜子
〈東京都〉細田剛志
〈東京都〉芹澤　剛
〈北海道〉レッド25
〈高知県〉井岡道子
〈秋田県〉佐々木得恭
〈神奈川県〉浅野　修

突撃(とつげき)！
クレーンゲームの巻(まき)
防火
用水
USA

ゲーム大王
ゲーム大王
PANCh
すごい!
ウイイーン
3個もいっぺんに!
CHINPIROSUPON
なっ可能だろ!
ウイイーン
本当だ
人形の配置を読む事が大切だぞ
ガタン
お前らに人形をあげるよ!
やったあ!

両さん
このジャムパンマン
とれる?
ZEGA
「ゼガ」の
円盤キャッチャーか!
メーカーによって
動きや
早さが
異なる
からな
へえ
いけるな
やった!
チャリーン
たとえ
もぐっていても
ハナが出てる
からな
クレーンに
ハナを
ひっかけりゃ
持ち上がる
人形の形状に
よって とり方が
違う
まず
横!
ウイイン
次の縦の
動きが
難しい
ウイイン
距離感を
つかむのに
コツがいる

すごいやった!
ウイイーン
いつも100円で2、3個とられちゃたまらないよ
いくら人形を補給してもすぐなくなる!
何か言ったか?
いえ! どうぞごゆっくり
テレビゲームも神技だけどクレーンゲームも天才的だね!
コツを教えてよ!
基本として縦の方が安定している 横だと たとえつかめても落ちる可能性がある
形状によって重心が違うから重心を見定めそこをつかむ
重心
クレーンの力は弱いからバランスが命だ!
お金を入れてからはあまりなやまない事!
時間切れで勝手にクレーンが動き出す悲惨な例もある
早く派出所へもどれ!
そう! 派出所に……ん!?

あっ部長！
お手洗
PART-16
新入荷
子供相手に力説してるんじゃない！
どうしてここが…？
ゲームセンターの前に警察の自転車が止めてあれば答えはひとつだ！
おじさんちょっと仕事してくるからまたな！
エー
えっ行っちゃうの
ぼくまだ裏技教えてもらってないよ
だから仕事が…
行かないで両さん
子供達にすごい人気ですね
ワイワイ
ガヤガヤ
だから
あとで！
仕事が…
まるでアイドルだな
遊戯道路
車両通行止

いくらゲームの天才でも社会生活ではなんの役にも立たんだろ！
冬の交通安全
確かにそうですが…
漢字のひとつも多く知った方が役に立つ！
見てすごいニュースよ
クレーンでダイヤなどのつかみどりですって
豪気な話だね！
カメアリ
ダイヤモ
金、ダイヤつかみど
1万円で3回
なんと！20万円のダイヤモンド!!
オープン!!
OPEN
きょう
どれだ見せろ！
20万か…これはすごい
ゴクリ
部長！ちょっとまたパトロールへ行ってきます！
ダイヤのつかみどりに行くのか！
ぎくっ
ピクーン

どどうしてそれを～

行動がそのままだ！

行くんじゃない！

うっ おなかが急にいたくなった 早引きしないと…

いつつつ…

わざとらしい男だ…

行かせて！ 生活費をかせぐチャンスなんです

そういうかせぎ方しかできんのか お前は！

勤務交代の時間です

やった

お先に

あっ こら！

行動が素早いですね

派出所に何をしに来てるのかわからん… あの男は…

大セー

カメアリ ダイヤモンド

さあ！ みなさん どうぞ

ダイヤモンド・高級時計 とりほうだい!!

ガヤ ガヤ ガヤ ガヤ

高級時計

ダイヤ＆金

一万円か 高いわね

どうしよう かしら…

一番のり
！
ビシ
20万円のダイヤはどれだ？
真ん中の銀のイヤリングがとりやすいですよ！お客様！
高級時計
ダイヤ&金
20万円のはどれだときいとるんだ！
は…はい
一番ハジの赤いケースです…
何よこれ？
これじゃ絶対とれないわ
200.000
大丈夫いける！
ウイイーン
えーっだってあんな奥に！
手前の2万円のリングの方がね…
ムリよねあれは！
ガヤ
ガヤ
よしいい位置だ
ウイイーン
あ！
200.000

ひええとった!!
ダイヤ&金
ウイイ～ン
ワ～!
すごいとれた
店長!20万円のダイヤが早くも!
そ…それはまずい!
ヤ&金
ドン
あっ
ポト
どうも失礼つい つまずいちゃって!
はは…
ひどい!
とれるところだったのに!
ガヤ
ガヤ
ガヤ
一人でなん度やってもいいんだろ
えっ!?
ええ!お金さえもらえれば
4万円プラスしてあと14回やる!
今の態度で決意がかたまった
ウイイィ…
高い物から根こそぎとってやる
えっ!?

今度はガッチリだ！落とせんよ
ウイイィン
ゴゴゴ
20万円のダイヤいただき
すごい！
天才的だわ！
パチパチパチパチ
あのお巡りさんゲーム機のプロフェッショナルですよ
なんだって
ガーン
あの！先ほどは大変失礼しました…カンベンして下さい
だめ
もう手遅れ！
ワァ
18万円のダイヤもいただき
やめて下さ～いお客さん！
店がつぶれます
ずいぶんにぎやかだな
ガヤガヤ
高級時計
ダイヤ
しめて158万円だ！すごいだろ！
そんなにとれたんですか!?

同じように時計のコーナーもあったんだデジタルの安い時計の中に高いのが入っててな!
見事にロレックスを2個!
2回2,000円だったからロレックス1個1,000円!
友人の宝石屋に買いとってもらうよ
すごいテクニックですね……
漢字を多く知っててもダイヤはとれませんからね!
くっくっ
テレビ局の知り合いがクレーンゲームの特番やると言ってましたよ
何本当か!
ぜひ出してくれ!
きいてみますよ
夢がひろがるなあ!
テレビ局の賞品は高い物が多いからな!
警官としてでなく個人として出るんだぞ
別にどっちでもいいじゃないですか

Dチームはフリーターの両津さん中川さんチーム
パチパチパチ
フリーターと言うのがやはり気になるな!
部長の命令で仕方ないですよ
この会場にある物すべてとって結構です!
うおっすごいっ
なんとダイナミックな!
人間クレーン
40万円以上
10万円以上
5万円以上

一番手前が家電品！
真ん中が貴金属！
一番奥がなんと車!!
軽から高級車まで！
すごい賞品ですね！
確かにすごいけどよ
かんじんのクレーンの先がついてないぞ
あれ？
みなさんにクレーンをやってもらいます！
えーっ
用意はいいですか！
ガチャ
はい！OKです

スタート
ウィィ
ゲイ
ようしストップ
ワー
ワー
ワー
ワー
おろせ!
ビデオカメラとCDラジカセと…
とにかく高い物を
あっ!
ウィイイン
もう時間切れか!
なんという番組だ!
ワー
ワー
欲望丸出しね!
Bチーム 高価なエアコンを手に入れました
しかしこれは重い!

くく 手袋がすべる……
ち…… 力が……
ズズズ…
だめだ!
落ちた! おしい! あと3メートルだったのに!
ふふ ちゃんと計算しないからさ
つかみやすく小さくて高価な品をねらわないと!
ウイイー
うおっ すごい!!
高価な物ばかり!!
このビデオカメラと…いや ワープロの方が……
やっぱりカメラにしよう 新機種はどれだ?
な…なんだ! まだひとつもとってないよ~
ウイイーン
優柔不断が一番泣きをみるんだ
ちくしょう!
悲惨ですね
5万

次はCチーム
上がった持ち上がった
すごい力です!
なんと車です
軽自動車にチャレンジ!
ググググ
オー!
あと一メートル…ゴール!
総額78万円でいっきにトップ!
780000
ズズ
ゴール
最後はDチームです!
すごいわねこの人!
すさまじい戦いだ…

家電品や軽自動車には目もくれず
いきなりポルシェにむかいました
ワ
なんて欲の深いやつだ
無謀ね!
ワ ワ
R・Rだから前部は意外に軽いはずだ!
ガッ
ぬおおおおお
おお持ち上がった
グ グ
すごい力ですっ
ゴールすればトップは間違いなし!
ワ
ばかやろう
これからが本番だ!
おおなんと
家電品にも手を出してます

なななんてやつだ…
人間わざじゃないわね
ビデオカメラをありったけ首にかけて…
ガチャ
時計電子手帳などをポケットにつめて…
片手で持てるだけ持とう!
ビデオデッキは足にはさんで…と
ガシッ
すごい足の指にもカメラ5台ぶらさげています!
両手がつかえりゃもっといっぱい持てるんだが…
車が…
グググ
最後の手段!!
ガギッ
ここれは!?
なんと

歯でポルシェをささえてます！
すごいパワー！信じられません！
総額がな なんと
千六百七十二万円でダントツ!!
16720000
ゴール
拍手に応えてグルグル回っています
チャンピオンまだまだ余裕があります
欲のかたまりだからなこういうのには強い！

**WJ連載1000回！**
**お祝いメッセージ**

# 中川へ一言！

その人並外れた金銭感覚でこれからも驚かせてくれ！　〈秋田県〉後藤　司
キャー。中川さ〜ん♡これからもフェロモンかもしだしてネ♡　〈静岡県〉伊藤あゆみ
中川様へ、おごって！　〈岡山県〉藤原佑輔
警官や社長業もいいけど、たまには恋愛もしてください!!お願い!!　〈東京都〉前田洋佑
これからも両さんに、すごいつっこみをいれてね。　〈愛知県〉南雲　優
ハンサムで金持ち、うらやましすぎる！　〈東京都〉芹澤　剛
美しきフェラーリF50。両さんにボコボコにされないでね！　〈埼玉県〉羽太正浩
金をくれ！　〈宮城県〉大黒友則
私の勤めている会社も中川グループの傘下に入れてください。　〈東京都〉山口昌央
両さんにふりまわされてばかりですが、これからもファイト♡　〈福島県〉永山美雪
あの両さんの、おバカがうつらぬよう気を付けて！　〈福岡県〉木村　譲
日本のスーパースター・中川巡査！　〈神奈川県〉安達　仁
今のままでもいいんですが、昔のようにもどって下さい。　〈千葉県〉前田悠貴
両さんのわがままを聞いてお金を使って破産しないようにしろよ。　〈千葉県〉岩井利明
これからも大変だと思いますが、両さんをヨロシクお願いします。　〈鹿児島県〉栗山美英
両さんより俺に金くれ!!ついでにフェラーリも。　〈静岡県〉浅井克文
両さんにこき使われてもくじけないでがんばって。　〈神奈川県〉橋本　洋
これからも金持ちの力を発揮して大活躍してね。　〈千葉県〉小西耕太
結婚相手は麗子さんでしょうか。だとしたら実にお似合いですね。　〈熊本県〉坂田一成
これからも両さんの膨大な借金の肩代わりをお願いします。　〈岐阜県〉矢島和典
あのアツさをとり戻せ！　〈兵庫県〉藤原達郎
おまえの家の犬小屋でいいから俺にくれ、たのむ。　〈愛知県〉鈴木伸輔
小市民には絶対に、まね出来ない活躍を期待します。　〈岩手県〉三輪律子
中川さん家のゴージャスパーティーに今度招待して下さい。　〈愛知県〉岩越俊明
これからも両さんと一緒に、会社の仕事のほうもがんばってね。　〈福岡県〉奥野秀明
超問題児、両津先輩を見ならわないように…。　〈山形県〉高橋宣弘
両さんが金に物を言わせた行動をする時はどんどん協力してやってくれ。　〈埼玉県〉久保田真司
その金持ちぶりで、これからも両さん以上に活躍して下さい。　〈新潟県〉小川依美
中川さん、今度の日曜日ヘリコプターで空中デートしましょ。　〈東京都〉小路知子
中川、最近おちつきすぎ、もっと無茶しろ。　〈岩手県〉角田俊作
中川グループの中に空きがあったら入れて下さい！　〈兵庫県〉矢口博之
これからも知り合いの多さと、お金の力でがんばって!!　〈東京都〉藤原雄太
暴走両さんのスーパーサポーター。財力の続く限りバックアップを!!　〈大阪府〉関　亘
両さんのためにもあまりお金を貸さないで下さい。　〈東京都〉大野将弘
中川さんのファンです♡これからもがんばって下さい。　〈神奈川県〉横田弘美
両さんとのコンビがいつも笑えます。2・5枚目の中川さん。　〈埼玉県〉舟木律子
その偉大なる企業力で、いつも両さんをたすけてあげてね。　〈神奈川県〉井上征一郎

中川財閥の年商はいったいいくら？　〈愛知県〉羽根田成也
あなたにはナゾが多すぎる…。　〈滋賀県〉逸見一機
中川くんのまゆ毛って、も、もしやア、アムラー？　〈神奈川県〉茂呂友香
これからも、その多くの財産を使って大活躍して！　〈静岡県〉鈴木勇紀
これからも大金持ちという事をアピールしてください。　〈兵庫県〉武田祐一
いつか、起業家セミナーを開いて下さい。私、必ず出席します！　〈兵庫県〉義間正和
金持ち&ハンサムな中川君、これからも両さんと仲良くしてくれ。　〈千葉県〉楠本健太郎
これからもハイテクな頭で両さんを助けてやってください。　〈青森県〉石山陽大
昔(JC第一巻)みたいに、ワイルドに生きろ!!　〈愛知県〉菅　貴志
両さんを絶対甘やかしてはいけません。でも時には助けてあげて。　〈熊本県〉布川　明
中川〜、金貸してくれ〜。　〈東京都〉長井政明
両さんに借金をきちんと返してもらおう。活躍祈る!!　〈埼玉県〉厚海健一
金、貸してくれ！　〈栃木県〉小林広幸
もちまえの経済力で両さんをもりたてろ。　〈神奈川県〉坂入　淳
これからも両さんの世話(フォロー)をがんばって下さい。　〈神奈川県〉堤　威仁
非のうち所がない、いい男中川さん。これからも活躍してね！　〈北海道〉なーちゃん
これからも、数々の世界の名車をマンガで楽しませて下さい。　〈佐賀県〉重田智徳
これからもスケールのでっかいことを両さんとして下さい。　〈三重県〉田中逸馬
両さんに金を貸すのは禁物だぞ。　〈三重県〉植田拓也
両さんの借金が早くなくなるといいですね。　〈岩手県〉池上竜司
長年両さんとつきあってるけど、財産なくならない様にしろよ。　〈兵庫県〉金田高佳
西暦二千年、会えるといいね父さんに。　〈群馬県〉中林大樹
とりあえず、金貸せ!!　〈鹿児島県〉稲付大悟
大金持ちなんだから両さん以上にときどき目立ってください！　〈茨城県〉上村彰人
もっとワルになった中川さんも見てみたい。　〈京都府〉秋山美智子
世界一のカーマニアとして両さんと死ぬまで車に乗り続けて下さい。　〈秋田県〉相馬洋介
両さんに左右されずに、富豪ぶりを見せて下さい。　〈大阪府〉高木明光
中川のお母さんはどんな人ですか？　〈鹿児島県〉西前義弘
両さんが親戚ってのは辛いよな。がんばれ!!　〈福岡県〉戸塚将太
その財力で、ゴールドメタリックこち亀博物館を建ててね!!　〈北海道〉鈴木照雄
中川グループの、ものすごいのをどんどん出してください。　〈栃木県〉飯塚俊明
君の金持ちぶりを、もっともっと発揮してがんばって下さい。　〈愛知県〉中村　航
麗子さんのことを、どう思っているんですか？　〈山形県〉大村健一
(ダチョウ倶楽部っぽく)金かしてくれ〜！　〈埼玉県〉滝沢祥太郎
俺と同じ超御曹子中川くん。これからも控えめにリッチな生活を！　〈東京都〉安藤芳剛
警察の仕事と中川グループの仕事を、よく両立できますね！　〈千葉県〉塚原　信
好みのタイプの女性はどういう人なの？　〈三重県〉山本涼子

親愛なる兄貴への巻
わざわざ来て頂いてすみません
両ちゃんは競馬場から直行すると言っていたわ
先輩の中学時代の写真ですか？
景子さん！気を遣わないで
少し運動した方がいいんです
おや？
このお守りは？
それですか！
私が小学生の頃の思い出深いお守りです

兄貴への巻
弟 金次郎

親愛なる
兄
勘吉

昭和30年代 夏
ミーンミーーッ
ジーー
泣いちゃったぞ
いいよ 行こ! 行こ!
えーん
えーん
おねがい

ひっく
ひっく
いじめられたのかい?
えっ
さあ立ち上がって
もっと強くならないとだめだよ
僕は力も無いし
喧嘩に弱いから
いつもいじめられるんだ
もっと強くなりたいと思うけど…
僕はのろまだし…
お兄さんは
暴力は反対だな

えっ
だって さっき 強く なれって!?
強さとは 力だけじゃ ないよ
くじけない 強さだ
動物は 力の強い者が 勝つけれど 人間は違う!
相手と 話す事が できるだろ
話し合う事が 一番 大切なんだ
お兄さんは 何している 人なの
弁護士さ
話し合う事で 人を助ける事も
人を守る事も できるんだ
夕日に浮かぶ その人は とても優しい笑顔でした
そして この出会いが 僕の一生を決めたのです

うわ!
ミーーン
来たぞ!
ミーーン
つくだ煮 よろず屋
よろず屋
くらえ!
悪党共!
ビーーッ
ビーーン
ひゃあ!
勘吉の弾すごく飛ぶぞ!!
あいつ銀玉鉄砲のバネを改造したな!
逃げろ!
ビーーン
ドタッ
ドタッ
よし!追い込んだぞ
ちくしょう!
ビーーン
ビーーン
ビーー
ビーーン
ビーーン

あいた
そこまでだ!
外でやってくれないかな鉄砲ごっこは!
何!
麻薬Gメンが敵のアジトに踏み込んだという設定だぞ
だから室内戦なんだよ!
でも…
ジャラ
お母ちゃん少し注意してよ!
金次郎も勉強ばかりしてないで一緒に遊びな!
パカッ
そうだよ!バカ!

じゃあ僕が外へ行くよ
おいちょっと待てよ!
これを貸してやる机にしろ
蓙もあるぞ
まさか本当に外で勉強するとは
うわ
やられた
凄い環境だなァ
パパパパパ
あたし達も入れてよ
お飯事じゃないんだよ
いじわる
あ!
わかったわかった
お父ちゃんご飯ですよ
もうすぐご飯ができまちゅ
なんか落ち着かないな
ドドドドド

金龍山
学生服届いてますよ
江戸趣味小玩具
助六
試着してみますか
ぴったりだ!
いよいよ中学生か! 照れるな…
少しは兄さんらしくみえるね
中学生になったらもう 僕の事いじめないでね
え
あたり前だよもう大人なんだから
さすがだね
よかった

兄は 全然 変わらず
中学になっても 僕を
いじめつづけるのでした

えっ
文京区の
国立の中学校
へ行くだと

先生とも
相談して
決めたん
だけど

国立を
受験して
たくさん
知識を
つけて…

将来は
弁護士に
なろうと
思うんだ!

えっ!?

バカか!
お前!

今から
将来 決めて
どうすんだ!

子供の
うちしか
遊べないん
だぞ!
遊ぶ事だけ
考えりゃ
いいんだ!

大人に
なったら
嫌でも働く
んだぞ

兄ちゃんは
大人になっても
遊んでる気が
するよ

何だと!

大きなお世話だ！
パカ
よしな！勘吉！
文京区だと交通費がかかるだろ
アルバイトするよ！僕が！
何故同じ中学に入らないんだこら！
グイッ
だって！
兄と同じ学校へ入る!!これが兄弟の仁義ってもんだ！
そんなの無茶だよ！
お父ちゃんお母ちゃんお願いします！
受験させて下さい！
ガバ
本気だよこの子
国立で難しいと思うけど…
まあ受けるだけなら……
よかった
勘吉のバカとくらべりゃ金次郎の方が100倍頭いいからな
父ちゃん

こちら葛飾区亀有公園前派出所 別注
学校で買ったカッパのバッチで都電が タダで乗れるんだ
今日の都民の日 一日だけだけどな
他にも都営の美術館やタダの所がいっぱいある
そうだよ
毎年 カッパのデザインが変わるんだな
今年のは赤で奇麗だな
お 来た来た
はい これ カッパのバッチ!
タダね!
天下御免のカッパのバッチ
エヘン
去年みたいに偽物じゃないだろうな
えっ! 覚えてるの!?
やばい 去年の運転手と同じ人だぞ
都内は狭いな!
ガタン
今度は本郷三丁目で16系統に乗り換えようぜ
一日 これで遊べるな!
あ
都電路線図

あそこが国立の学校か
えっ？
ゴトン
ゴトン
金次郎が受験する学校だよ
えっここを受けるの
すっげ――っ
あいつガリ勉だろ学校でも成績いいんだよ
でも東京23区から頭のいい奴が受験する所だろ！
やっぱり落ちるよな！
絶対無理だよ……
なあ…
うん……だめだと思うよ！
……………

私立を受験する友人たちと ぼくは一緒に勉強する事になりました
母ちゃん
つくだ煮 よろず屋
よろず屋
金!! 金!!
ドタ ドタ
金 ちょうだい!
ドド ドド ドド
今のが金次郎君のお兄さん
ま まあね
だから うちは勉強する環境じゃないって言ったでしょう
眠くならなくていいよね
そ そうね
はは…
えっ 俺がお菓子運ぶの!?
そのくらいしなさい
頭の いい子達が集まってるんだから勉強の邪魔しちゃだめだよ
バカをうつすんじゃないぞ
くそ…

まだ 勉強してるのかよ
いい加減に締めろよ！全く！
ゴッ
ゴッ
あいちっ
うわあ みんな 凄い 色白!!
色白コンテスト会場か！ここは
兄ちゃん もう 分かったって！さがっていいよ！
何ッ！
いい子供が日曜日の朝から勉強か！
やだ！やだ！
もう向こう行ってよ！
くわーっ
大人みたいな字でいっぱい書いて！
よし きめた！
みんなで野球やろう！
だめだよ！
少しは 太陽を浴びないと腐っちゃうぞ
気分転換にみんなで行こう！
グイッ
うわ
だめだって！

どうも申し訳ありません！
気を付けて下さいよ！もう
つくだ煮 よろず屋
いて
ばか！ケガをさせやがって！
普通に野球しただけだよ
お前とは体の作りが違うんだ
頭の作りも違うんだよ
まったく！
くそ
もっと体力のある奴とつき合え
青ビョウタンばかりだろ！
そんな事言ったって！
そして いよいよ明日が受験日になりました
つくだ煮 よろず屋
ううむ
ん？
金次郎 まだ起きてるのかよ
眠れる状態じゃないよ！

もう
やめとけ
体壊すぞ
！
あっ
ほっといて
よ！
もう！
ドン
今夜が
瀬戸際
なんだ
から！
体を心配して
やってるん
だぞ
それなら
ほっといて
！
兄ちゃんが
いると
邪魔！
わかったよ
もう！
勝手に
しろ！
兄ちゃん
は？
チチチ
朝早く
どっか行っち
まったよ
ほとんど
寝ないで
大丈夫かい
大丈夫
じゃ
行ってくる
一所懸命
勉強していた
けど……
やっぱり
無理だ
ろうね！
ふああ
これで
あきらめが
つくだろ！

今から緊張するなあ！
一人じゃ心細いよ
ギギィ
うわ
都電軌道内での事故だ！
キー
緊急停車！
何!?動かないのか!?
ガヤガヤ
大変な事になったぞ
ガヤ

湯島天神までつい時間がかかった!
都電に追いつけばいいが!
あっ!
おい金次郎
キッ
あっ兄ちゃん
都電が事故で…
早く後ろに乗れ!
でも学校の道が分からないんだよ
大丈夫だ!
ガタン
俺が知ってる!
えっ何で!?
しっかりつかまっていろ!

学校が見えてきた！間に合うぞ！
よかった
そ…そうだ！
受験票を確かめないと…
験票
No. 31695
あっ！受験票が！
何ッ!?
うわ 川に！
あれがないと!!
受験が出来ないんだ！
やっぱり最後までドジだ…
そこにいろ！金次郎
あっ！

うわ
飛び込んだ!
オー
ワーオー
わーっ
凄い…
オオオーー
ドボーン
オーー
凄い中学生だ
大丈夫か!
ガヤガヤ
泳ぎは上手だぞほら!
オーオー
大丈夫か
ガヤガヤ
たいしたもんだ
パチパチ
まさか飛び込むなんて…
今度はなくすなよ!

あ…あの…
いいから早く自転車に乗れ！
あっそうだ！
忘れないうちに！
ちょっと濡れちゃったけどな
合格祈願のお守り！
自信を持つんだ！
がんばれよ！
お前なら絶対受かる！
俺は信じてるぞ！
兄ちゃん
その年は6倍の倍率でしたが運良く合格する事が出来ました

普段 喧嘩ばかりしていた兄ですが…
一番 心配してくれたのが兄だと気づきました
たくさんの本からは知識を学びましたが
子供の頃 兄からは社会の事をいろいろと学びました!
タダ電話のかけ方とか自販機のジュースをタダで飲む方法とか
悪の教師でしたよ!
今と変わってないな
弁護士になった動機が弁護士さんとの出合いとはね
その人が…
この人なんです
あ
この人だったとは!
正義の弁護士と呼ばれる須田成道先生です
僕も弁護士になってから知ったのですが!

ピンポーン
勘吉さんが来たようね！
もう一人の恩人の登場ね
悪の教師だ
どうも遅くなっちゃって
さあどうぞ
ほら！土産だ
ドス
うわっ凄い
万馬券が2回も出ちゃってさ200万円も儲かったんだ！
200万円全部洋酒買って来たんだ 今日はとことん飲もう
わはは
200万円も……
さすが悪の教師！
お金の遣い方が子供並ね！


親愛なる兄貴への巻(完)

## WJ連載1000回!
## お祝いメッセージ

# 麗子へ一言!

これからもお茶目な才女ぶりを、どんどん見せてね♡ 〈千葉県〉木内絵美子

連載百回目から今までよくがんばった。先は長い、まだがんばれ。 〈福岡県〉戸塚将太

これからも、レイコさんの大活躍をきたいしていま〜す。 〈新潟県〉高橋秀一

大好きな麗子ちゃん、初登場した時のような、ぶっとんだ活躍もしてね。 〈岡山県〉中島靖之

これからもずっと派出所の安らぎであり続けて。 〈茨城県〉吉原省吾

派出所のマドンナとしてこれからも、がんばってね。 〈山形県〉高橋宣弘

これからも、そのスーパーレディぶりを発揮してくれ! 〈秋田県〉後藤　司

これからも両さんの世話の方をがんばってください。 〈東京都〉山口昌央

これからも、中川さんといっしょに両さんを助けてあげてネ。 〈福岡県〉奥野秀明

来春発売予定の写真集の撮影、絶好調ですか? 〈沖縄県〉呉屋隆二

両さんや中川、部長とともにこれからも大活躍してください。 〈大阪府〉田戸　宏

こち亀のアイドル、2000回までNO、1! 〈東京都〉小沼昭博

もっともっとセクシーポーズを披露して男達をめろめろにしてね! 〈千葉県〉志村君明

これからも華麗で優しい派出所のアイドルとして頑張って! 〈東京都〉田中伸一

バイオリンと共に、警察の仕事もがんばってね。麗子さん、一番美人。 〈岡山県〉山本名緒

麗子!わしと結婚しよう!きみを必ず幸せにする! 〈東京都〉末木賢二

これからも美しくイキイキとしてがんばってください。 〈兵庫県〉バサラ

千回こえてもあなたの超ナイスバディで僕らを魅了して下さい! 〈京都府〉高橋幸裕

麗子さんのステキな笑顔でこれからもがんばってくださいね。 〈千葉県〉楠本健太郎

いつ見ても私にそっくり、キャリアで素敵んぼ、キュートレディ。 〈大阪府〉西河千穂

これからもその美貌で華麗に活躍して下さい。 〈神奈川県〉軽部　亨

あなたは僕の女神だ。永遠に僕に微笑んで下さい。 〈石川県〉伝説の美少年

これからも美人&ナイスボディの麗子さんの活躍に期待しています。 〈東京都〉鷲海伸英

両さんにいじめられてもめげないでがんばってください。 〈広島県〉玉田真之介

早くポルシェ911GT1を乗りまわしてください。 〈岡山県〉清野　真

これからもずっと美しいままでがんばってネ!! 〈埼玉県〉厚海健一

いつまでも若く美しく理想的な女性でいてください。応援します。 〈茨城県〉野仲　茂

麗子さん、これからもその美乳で僕の心をときめかせて下さい。 〈栃木県〉舘野一弘

いつもかわいくキュートな麗子ちゃん、ドジな両さんをよろしくね。 〈北海道〉能田貴大

昔とずいぶんかわりましたね。 〈奈良県〉川本仁志

麗子、昔のような悩殺ポーズが少なくなったぞ!悲しい…。 〈大阪府〉谷　賢志

そのかわいい笑顔でいい男性をみつけて幸せになってね! 〈徳島県〉平鍋竜二

オレは麗子さんのファンだ文句あるか麗子さんこれからもがんばれ。 〈千葉県〉楠本健太郎

これからも両さん以上に活躍してください。 〈青森県〉桜庭潤治

大きな胸を弾ませて綺麗な瞳を輝かせ、これからも活躍してね! 〈北海道〉山根　淳

私の理想の女性です。結婚なんかしないでね。でも両さんなら可。 〈徳島県〉田中重彰

両さんがそばにいて危険だけどその力でがんばれ。 〈三重県〉植田拓也

これからもその美貌でこの世の男どもを悩ませてね! 〈熊本県〉田中大悟

いつまでもあこがれの女性で輝きつづけて下さい。 〈京都府〉橋本明人

早く両さんと結婚して子供を産んで下さい。両さんの子供が見たい。 〈愛知県〉西田一郎

いい人っすねぇ。 〈岡山県〉藤原佑輔

すてきな女性で、ミニスカートがかわいいですね。 〈愛知県〉石田浩己

たわわな胸や脚線美でこれからも世の男どもを悩殺してください。 〈石川県〉小町周平

大好き、これからもいまのナイスバディをたもってネ! 〈愛知県〉細田圭介

チャーミングな麗子さん。結婚はいつごろですか。 〈熊本県〉坂田一成

麗子さんは僕の憧れの女性です。『こち亀』やめないで下さい! 〈静岡県〉青木　猛

これからも麗子さんのその笑顔を見せて下さい。お願いします。 〈神奈川県〉市川幸史

これからもそのスーパーボディで魅了して下さい。 〈北海道〉安達裕一

いつまでも、愛しのマドンナでいてください。 〈北海道〉松谷光浩

その美貌とナイスバディで、これからも僕たちを魅了してね♡ 〈三重県〉佐久間淳

これからも両さんのことをよろしく。 〈福岡県〉山口圭吾

そろそろ両さんと結婚してあげてください。 〈徳島県〉結城和弥

両さんをよろしく!おしあわせに、おにあいです。 〈千葉県〉石毛孝史

いいかげん両さんと結婚しろ〜! 〈愛知県〉菅野敬太

そろそろ結婚しませんか?中川だったら許します。 〈東京都〉田中則雄

これからもこのナイスバディでがんばって! 〈神奈川県〉荒木崇宏

麗子さんの写真集が見たいです。 〈福島県〉宍戸正仁

これからも、美人のままがんばってね。 〈愛知県〉鵜飼謙太郎

今度、僕をポルシェの助手席に乗せて下さい。 〈東京都〉加坂　紳

僕はあなたにほれました。僕でよろしければおつきあいを…。 〈埼玉県〉斉藤大輔

そのモデルなみの美しさでこれからもがんばってください! 〈新潟県〉国兼哲也

好きです。僕とつき合って下さい。年下だけどお願いします。 〈山形県〉佐藤　薫

日本一のスーパーレディ、麗子巡査! 〈神奈川県〉安達　仁

これを機会に両ちゃんの嫁にいったらどうですか?ダメ? 〈神奈川県〉渡辺浩嗣

好きです。俺の地域にも麗子巡査みたいな美人がいればいいのに。 〈静岡県〉浅井武男

たまには水着姿で登場してたのしませてください。 〈埼玉県〉柿沼和樹

あこがれの麗子さん、誤っても両さんへなびかないでくれ。頼む! 〈愛知県〉鈴木伸輔

そのモデル以上の容姿でいつまでも頑張って下さい。 〈群馬県〉金子和永

派出所の紅一点として、華やかに活躍してね! 〈愛知県〉岩越俊明

好きです。 〈岩手県〉佐藤岳詩

両さんとわたりあえる女性は麗子さんだけ。結婚してあげて下さい。 〈福岡県〉吉田桂子

昔より美人になったね。早く結婚してね。 〈兵庫県〉清水章男

いつ両ちゃんと結婚するんですか?今がチャンスですよ! 〈愛知県〉竹永智恵子

麗子さんへ。最終的に結婚相手は誰ですか? 〈鹿児島県〉西前義弘

パソコン・
モンタージュ!の巻(まき)

ガオオオム
派出所にもパソコンが導入されるのか!
昔は町や人とふれあう交番でしたけど
今は首都に広がる重要なネットワークの拠点ですからね!
確かにそうだな
地上げで派出所も数が減ったりしてるぞ
都内に何百あるかな?
そうですねえ
都内のマクドナルドの店舗数より多いだろ!
さあどうでしょう
ガロロロ

お
入ったのか!
今説明してもらっている所よ!
これでパソコンゲームができるな
このパソコンは警視庁や全国の警察にネットワークされています
ソフトも警察用に開発されました
地理案内用のソフト
指名手配などの照会用ソフト
指名手配ソフト
都庁区市役所
主要劇場SOFT
鉄道路線ソフト
美術館★博物館
葛飾区〈上巻〉
葛飾区〈下巻〉
大百科
WORLD

これが最新技術の合成写真ソフトです
モンタージュSOFT
モンタージュか
目や鼻を変えて犯人の顔を作るやつだろ昔あったな
現在ではそれをCGで行います
モーフィングという特殊効果技術で難しい作業ですが
このソフトなら短時間で合成が可能です
容疑者の顔を派出所でもすぐ作成できるわけです
早くやってくれ
従来通り目や鼻を変えるのは同じですが
ファイル 編集 書式 特殊効果 ウィンドウ
目のパターン (153)
カラーバランス
違和感なく自然に合成できます
なるほど
さらに座標を変えれば
顔の形も変えられます
やせた顔にしたり…
あ
変形
たて
100%
よこ
75%

太った顔にしたり自由自在です
すごい
更に2人の合成も可能です
え
顔の各部位を座標して
000%
もう一人も同じ位置を座標します
100%
なるほど
中間の座標をコンピュータで選ぶと…
このようになります
050%
おお!
なんか不思議ね
仕組みはカンタンですよ
A図とB図を打ち込むわけです
たとえば鼻ならこう
あとはコンピュータが間の座標を選ぶわけです

どちらかの座標に近づければ
混ざり具合のパーセントが自由にできるわけです
0%
50%
100%
アニメの・・・中割りをやるようなもんだな
原画
中割り
原画
そうですね
もっと詳しく教えてくれ!
いいですよ
勉強嫌いなくせに好きな事には勉強熱心ね
金が絡むと更にパワーアップするよ
亀有公園前
押ボタン式
オペレーターの人が帰ってもまだやってるわ
趣味的分野の学習能力は常人の100倍はあるからね
よし!すべて覚えたぞ!
さっそく実行だ!

確か ここに部長の写真あったな!
ガラ
あったあった!
この写真を入力させて
ウイイー
何をするの
まずはモンタージュの実験だ
えーと
アフロヘアのかつらをつけよう
ピ
ぱっと!
ぷっ
なんて顔だわはは
わはは
こんなやついたらこわい!
ドン

わははこれはおもしろい
他のアイテムを選ぼう
もう一度髪だ
ピッピッ
よくできてるわねえ合成とは思えないわ
えーと
モンタージュ
輪
眼
耳
鼻
髪
まゆ
口
この加トちゃん頭いいなあ
部長にのせてみよう!
ピッ
ほれ
ぷ
わははヒゲとぴったりだ!
ドドンドン
笑っちゃいけないけど…おかしい
部長の顔こわいから笑わせよう
そういうのもできるの!?
コロコロ

お5,000円札のおっさんを折って笑わせるのが昔流行ったろ！
あれと原理は同じだ
画面を歪ませりゃいいんだ
どうやって？
ピッ ピッ
いいかようくみてろよ
ピピピッ
ほら！
フニャ
ぷっ
笑ったァいやあ傑作だ！
わはは
ドン ドン ドーン
何か不気味！
よし！何か動物をかけ合わせよう
えっ
パラ パラ
週刊自分自身
これがいい！
ゴリラ！
週刊自分自身
ゴリーちゃん（4才）
この写真をインプットして…
コロ コロ
同じく座標を合わせれば

いいか見てろよ
ゴリラと合わせるぞ
ピピッ
0%
それ!
パッ
ぷっ
80%
ボス ゴリラだ! ぴったり
わははは
ほんと
ドン
ドン
かわいそうだから人間に近づけてあげよう
40% 30% 20%
ピピッ
20%
ようやく人間らしくなったな!
現代人に近づきましたね
安心したとたんまた猿に逆戻りそれ
パッ
ぷ
最高だな!
部長の顔は いいおもちゃだ
わははは
ドン
ドン
本当にパソコンで遊べちゃうのね
なっ ゲームみたいだろ!

今度は何にしようかな
パラ
週刊自分自身
スーパーダイエット
感涙
よし!ブルドッグにしよう
犬のデータを入れて…
座標してと…
ピッ
ピッ
それ
パッ
ぷっ
あはは
いやあおもしろい!
動物はもうあきたから別なのにしよう
そうだ機関車にしよう
えっ汽車!?
鉄道の旅
そんな事出来るの
顔の位置に座標すればいいんだ!
ピッ
ピッ
ほら!
ぷっ
パッ
部長が機関車トーマスになってしまった
不気味
わははは
ドッ
ドッ

今度はウンコだ
えっ
そんなの載ってるんですか?
薬屋でもらったチラシにある
ベンピにフンデル
健康な便
さあウンコとの合体だ
あっ
先輩
あわてるなこれは座標が難しい!
コロコロ
さあ!セット完了
わくわくわく
いよいよいくぞ!
それ
ぶひ!

これは傑作だァすばらしい
がはははは
ウンコ部長だ!
ドン
はっ
ドキッ
ちょっとインプットミスをしてしまったな
つい!うっかり
部長の顔はたしか
こうだったな
ピピッ
眉がこう力強く!
ピピッ
目がキリッとしていて
ピピッ
鼻すじが通っていて
ピピッ
もう少しやせていたなたしか!
ピピッ
怒りが消えてきた…よし!
髪もこうビシッとしていたな!
ピピッ
なにしろダンディーだからな!

完成だ!
これが部長だ
あっ あれ?
部長 いらしていたんですか
ちょっと二枚目すぎるんじゃないか?
ニヤ
ニヤ
何おっしゃいますか!・・・くりそつ
本物の方がもっとダンディーですけど
そうかな
はは
切り抜け方がさすがプロだ
そのキカイで遊んではいかんぞ!
はい もちろんです!
ふう 危ない所だった
よくごまかせましたね
さて 続きをやるか!
あまりやりすぎると目が疲れるわよ!
警視庁

いろんな警察のデータも入ってるな

ピッ

あれ？

これは指名手配の一覧表だ

全国指名手配一覧表

そうかあ本庁のコンピュータとつながったわけか！

これはおもしろい

部長も指名手配に入れてしまおう

入るかどうかわからないけど

ピッ

ピッ

おっ入力できた

大原大次郎

ピッ

うーむいい眺めだ

あとでプリントアウトしてとっておこう

全国指名手配一覧表

データもちゃんと入れとこう

これでよい

ピッ

ピッ

次郎

犯行

のぞき・ちかん
部下いじめ・セクハラ
下着どろぼう

行動

パンツを頭からかぶり女性にせまる変態男

別名 イヤミ大原

くく…まるで本物みたいだ

全国指名

この顔みたら110番

大原大次郎

別名 イヤミ大原

さてプリントにして…
あれ動かん!
ピッ
コードが抜けてるのか?
ニャーン
あ
こら!キーボードの上に乗るな
早く下りろ
カチャ
カチャ
カチャ
ウイイン
あっ
見ろデータが消えてしまった!
せっかく打ち込んだのに!

もう一度呼び出して
あれ?出てこない!?
ひょっとして今のデータ本庁に送ってしまったのかなあ?
なんかそんな気が…
指名手配一覧表
この顔みたら110番
本当に部長が指名手配のリストに入ってしまったら…
ぞ~~
先輩!
うおっ
ドキ!!
どうしたんです大声だして?
ちょっと発声練習だよ
はは
最近カラオケに行ってないもんで
ちょっと聞くけどさ
このパソコンシステムは警視庁管内だけだよな
いいえ!

すでに全国の警察にネットワークされてますよ！
はは
や…やっぱり全国的ね…
早い所消さないとデータを引き出されてしまうぞ
指名手配一覧表
大原大次郎
この顔みたら110番
別名 イヤミ大原
おっ出てきた
うーむ全然消えない
確かに消えるはずなのに…くそ…
ピ ピ ピ
うぬ
くく
もう知らん！
このままでいいや！
ドガッ
日用品
数日後 地元のスーパーで買い物帰り県警察に逮捕される部長の姿があった
千葉県警察
わしは今日から夏休みをとるぞ
え

パソコン・モンタージュ!の巻(完)

# WJ連載1000回! お祝いメッセージ

# 大原部長へ一言!

両さんの永遠のライバルとしてますますがんばってほしい。
いつかきっと良い事があります。がんばって長生きしてね。
メカオンチを克服して両さんを見返しちゃいましょう!
たのむから両さんをみすてないで!!
いつまでもマイホームを大切にして下さい!
部長、あまり両さんをいじめないでね。
オヤジそっくりの頑固部長、本当は心の広い理想のオヤジだ!!
両さんとの言い争い、駆け引き。これからも負けずに!
謹厳実直が素敵な理想のお父さん&上司!爆発熟年パワーでGO!
これからも、自分勝手な両さんを厳しくしかってやれ。
両さんをみすてないで。
部長さん、両さんのことをこれからもよろしくお願いします。
両さんと一緒にこれからも渋さをたもって大活躍して下さい。
大原部長、これからも両津をよろしくたのむ。
これからも、両さんとの名コンビで大暴れして下さい
両さんの暴走を止められるのは部長だけ。今後も部長負けるな!!
血圧に気をつけて、両さんに恐ろしいおしおきをして下さい。
その中年好みのしぶいひげの顔で両津にクリティカルヒットを願う。
おこってばっかりでなく、ちょっとは休んでくださいね。
両さんパワーを抑えれるのは部長しかいない。ファイトだ部長!
世界で唯一両津勘吉を止められる男、それがこの大原部長だ。
これからもその頑固ぶりを、めいっぱい発揮して下さい。ガンバレ。
両さんのブレーキは部長さんしかいません。がんばって下さい。
今日もあしたも、両さんをしかってしかりまくれ!
これからも両さんにはてこずるかもしれないけどガンバッテ!!
あの両さんの悪事を防ぐことができるのは君だけだ。がんばれ。
これからも、おもいっきり両津をしかってやってね。
両さんをいつも怒るな!!(だから血圧が上がるんだぞ)
これからも両さんに悩むと思いますが、くじけずに頑張って下さい。
部長のその大声で、両さんを思いっきりしかってやって下さい。
両さんを首にしないでね!…がまん、がまん。
これからも両さんに悩まされると思うけど頑張って!
盆栽もいいけど若者の心や流行についても理解しよう!!
大原部長は仕事熱心だから、健康に気をつけて、がんばってね♡
これからも両さんにひげをとらない行動力でがんばってください。
問題児の両さんと共にこれからもがんばってください。
わがままな両さんをこれからもよろしく。

〈高知県〉春田真輔
〈愛媛県〉井上みどり
〈京都府〉仁木麻祐子
〈愛知県〉矢島栄二
〈埼玉県〉高橋健介
〈兵庫県〉春日　健
〈神奈川県〉工藤寛之
〈大阪府〉木原純明
〈栃木県〉松平美穂
〈神奈川県〉平野智史
〈東京都〉大野将弘
〈大分県〉中原健一
〈北海道〉鍋島彫峰
〈千葉県〉高橋　強
〈千葉県〉縄田秀彰
〈群馬県〉田波建志
〈大阪府〉坂口昌大
〈神奈川県〉伊藤　歩
〈兵庫県〉武田祐一
〈愛知県〉加藤健成
〈長野県〉平原友紀
〈福島県〉菅野雄太
〈大阪府〉衣斐勝己
〈千葉県〉林　孝明
〈北海道〉前田真志
〈愛媛県〉砂野祐一郎
〈大阪府〉木島庸介
〈千葉県〉楠木智典
〈熊本県〉布川　明
〈愛知県〉宮澤賢一
〈秋田県〉和泉　敦
〈埼玉県〉塚田雄介
〈埼玉県〉厚海健一
〈東京都〉宇都宮由実
〈三重県〉大北　亮
〈岩手県〉池上竜司
〈京都府〉井崎哲弥

僕は声を大にして言いたい。部長こそ日本の警察官の鑑だと!
両さんに頭を悩まされるでしょうが、がんばってください。
両さんをしかれるのはあなただけ!これからもがんばって下さい。
大原部長はいつも両さんからいやがらせを受けているけどがんばれ。
体に気を付けて、両さんをあたたかく見守って下さい。
両津に負けず上司パワーを大爆発して下さい。
これからも両さんを厳しく指導してください。
両さんという問題な部下がいてたいへんですね。頑張ってね。
爆弾(両さん)を背負いながらつらいとは思うけどがんばってね。
これからも両さんとケンカをして楽しませて下さい。
これからも両津にすごいおしおきをして下さい。
中年パワーで両さんとの対決ガンバレ!
たまには両津をおおめにみてやってくれ!
怒りすぎて血圧をあげないようにこれからもがんばってください。
部長の怒鳴り声は両さんパワーのバロメーター。今後も怒鳴って。
鬼みたいな、その迫力でこれからも大活躍をしてください。
僕は、部長が本当のこち亀の主役だと思っています。
これからも両さんをビシバシ怒鳴ってください。期待してます。
孫には弱いが両さんには強い、正義の警察官。めざせ警視総監。
その渋味と中年パワーでこれからも両さんに喝を入れて下さい!
元気な力でいつも両さんをしかってください。
いつも優しく、時に厳しい部長。これからも活躍して長生きしてね。
いつも怒っている印象があるけど、年齢を考えるとほどほどに!!
日本警察官の鑑、大原部長!
益々男の渋みの増した、チョビひげフェイスで活躍して下さい。
これからも両さんをしっかりしごいてまじめな両さんにして下さい。
今度は二〇〇巻まで、諦めずに両さんの面倒を見てやって下さい。
両さんの暴走を抑えられるのは部長だけです。頑張れ!
両さんを怒れるのは部長しかいない!!見すてず、怒り続けろ!!
怒るとビタミンCが減るそうです。補充しましょう。
初志貫徹!
これからも両さんを見すてず、面倒を見てあげて下さい。
あのするどいツッコミで、これからもがんばって。
もう年なんだから、あまりおこらないほうが……。
これからも両さんの面倒をしっかり見てあげてね。ガンバレ!!
これからも両さんの暴走をおさえて、世界に平和を!!
いつまでも謹厳実直で部下思いの部長でいてください。

〈愛知県〉西浦涼二
〈北海道〉池田健太郎
〈岐阜県〉坂田諭史
〈和歌山県〉小西拓也
〈長野県〉高橋和子
〈東京都〉本山　純
〈北海道〉三谷英一
〈静岡県〉前島大貴
〈宮城県〉渋谷貴弘
〈三重県〉植田拓也
〈大阪府〉三原和人
〈新潟県〉田村　誠
〈愛知県〉藤田順也
〈埼玉県〉柿沼和樹
〈新潟県〉田中雅之
〈東京都〉野口雅宏
〈愛知県〉柘植貞治
〈山形県〉高橋宜弘
〈京都府〉重田貴規
〈東京都〉遠山武人
〈福井県〉奥田一行
〈愛知県〉林　知樹
〈神奈川県〉安達　仁
〈愛知県〉岩越俊明
〈愛知県〉鈴木啓介
〈岩手県〉三輪和幸
〈東京都〉芹澤　剛
〈福岡県〉戸塚将太
〈東京都〉藤田真耶
〈大阪府〉大石昌平
〈大阪府〉木下敏之
〈兵庫県〉山本勝也
〈福島県〉吉川聡史
〈栃木県〉関本　暁
〈埼玉県〉宮尾功二
〈静岡県〉剣持高志

# 両さんメモリアル

両津勘吉　3歳
自宅近くで近所のおじさんが写す
山田木材
昭和20年代
東京・台東区千束
お産婆さーん！
あけてくださいよ！
ドーンドーン
なんだ銀さんかい
もうすぐ産まれそうなんだ！

まだ10月たっちゃいないはずだよ あんたン所は!
そんなこといったってオレにはわからねえよ!
とにかく産まれそうなんだって!
よりによってこんな嵐の時に! まったく…
ガタガタ
ピチョン
うぶ湯の用意はまだかい!
はいはい! 今やってるよ!
ゴボボ
あいたたた!
もう大丈夫だよ あたしがきたからね
そんな所でウロウロしてんじゃないよ!
もうすぐ産まれる所だからあっちへいってな!

この雨じゃまずいな
あさっては重馬場になりそうだ！
うわっ地震だ！
銀さん！元気な男の子だよ！
それどころじゃない！
家がつぶれる！
ガタ
ガタ
ガタ
ふう…おさまったか…！
今日はなんて日だ
ユラ
ユラ
ん
赤短ができてる！！
両津勘吉 つくだ煮屋の父銀次と母よねの長男として誕生――
生まれながらギャンブル好きであった

体重が普通の1.5倍もあり
出産というより 大きく育ちすぎて
飛びだしたという表現があっており
まさに元気の見本であった
3歳にしてベーゴマ メンコ ビー玉に
天才的な才能を発揮し
負けたことは一度もなかった
よろず屋
よろず屋
同じ場所には 10秒といないという
落ちつきのなさで 親は目をはなす
ヒマがないほどであった
幼稚園も入園式を逃げだすという
始末で はやくも先生たちには
問題児として顔をおぼえられる

小学校へ入学しても
性格は変わらず「三つ子の魂百まで」を地でいった
また そのあばれぶりは 台東区だけでおさまらず墨田区 荒川区 足立区 江東区までおよんだ
台東区
墨田
江東区
浅草の風雲児としてその悪名を下町中にとどろかせていた
ある時は 電車を止めてパニックにし…
ある時は たき火で不忍ノ池の弁天堂を燃やし…(未遂)
ある時は 千住のおばけ煙突にのぼり 警察や学校から怒られ…
三社祭りでは 神輿こわしの勘吉と恐れられて 町内のブラックリストにのせられていた

また弱い者いじめを見ると
たすけにいくという
正義感の強い面もあった
中学校へ入学しても
性格は変わらなかった
大門中学校
3歳のまま大きく
なり続けた
中学になると 体力もますますつき
はんぱなあばれ方ではなかった
「事件ある所に両津あり」と
平凡な学園生活を印象深く
飾ってくれたのである
先生たちの忠告で
一時 勉強に集中した
時期もあったが…
金次郎!
なんでここが
40になるん
だよ
だから
さっき
二度も
いった
じゃないか
兄ちゃん
たのむから
頭を使ってよ!

さっきからずっと使ってらァ!!
こらっ勘吉!
せっかくおしえてくれるのになんてことするの!
あいててて!
ムリに勉強おしえるのはよくないって母ちゃん!
人には向き・不向きがあんだから
おれ工作好きだからさ
将来は大工になるよ!
えっ
昔から手先が器用な勘吉は近所の大工の源さんにならいどんどん技術は上達した
しかし彼は飽きっぽかった…
勘吉どのくらい上手になった!
大工はやめたよ
パイロットになることにしたんだ
パイロットはどうしたんだ?
やめた!漫画家になるよ!おれ!
200ページの長編かいてるんだ!

結局 また飽きてしまい
勘吉始末記は加速してゆくのだった――
すいやせん！
毎回 面倒ばかりかけて！
元気のかたまりだね 両津さん
吉原警察署
エネルギーがあまってるから署にあずけるかい？
柔道で少しきたえてもらった方がいいな！ お前は…
でえい
強い！
形がどうのというより並はずれた力を持ってる勘吉に 警察の人々はおどろかされた

そんなある日…
両津
よろず屋
よろず屋
なんでパトカーがおれの家に？
いいからはやく乗って！
就職がきまってよかったな
まったくね
なんで試験なんてやらされんだよ
合格！
えっおれ!?
どっかで見たような服だな？
なんか変だぞ
知らぬ間に警察官になっており
気がついたら公園前派出所に配属されていた

みなさま おはよう
どうしたんです あらたまって
ビシ
ほんと!
プレゼントだ! 中川がほしがってた リバロッシの Nゲージ!
えっ
麗子がほしがってた ライカM3
えっ そんな!

どうしたんです？これは先輩の愛用品じゃないですか
日ごろお前たちの世話になってるからな！お礼だよ
ここにいたか！両津!!
二日も勝手に休んで……
申し訳ありませんぶ長！
ばっ
部長の好きな有田焼の湯のみです日ごろのお礼に！
なに!?
ふつつかな私を面倒見ていただきありがとうございました
どうかしたのか？こいつ!?
それがさっぱり
……

お前熱でもあるんじゃないか?
とんでもございません!いたって健康です
部長には私生活までいろいろとご指導いただき…
何かおかしいぞ……
おや?
キキッ
ズザッ
本田さんや署の連中だ
めずらしいわね…
私がよんだ
えっ?先輩が!
いやぁごくろう様!

本田くん！ほしがってたシンプソンのメットだ！プレゼントしよう
えっ
先輩の愛用品じゃないですか！こんな高いのを！
気にするないつぞやは九州までむりやり走らせて悪かったな！
「飛ぶ鳥あとをにごさず」というからな！
君たちにもプレゼントだうけとってくれ！
妙なこといってますよ！
うむ…やはりいつもとちがう！
両津 わしと一緒に病院へいこう！
待ってくださいよ！部長!!
大切なことがあるんですよ
なに？
ドザ

お世話になりました！私は今日限りやめさせてもらいます
ペコ
そんな!!
なんだって!!
いろいろと悩んだ結果私は長い旅にでることにきめました
今日は　そのお別れのために集まってもらったのです
先輩そんな！
うそだろうおい！
両さん！
達者で暮らせよみんな！
あばよ
先輩!!
両ちゃん!!
亀有公園前派出所

長い間ご愛読
ありがとうございました。

両津勘吉巡査は
派出所を去り、旅立ちました。
20年間の長期にわたり

読み続けてくださった
読者の方々に
お礼を申し上げます。
また会う日まで
さようなら
両さんメモリアル(完)

新こちら葛飾区亀有公園前派出所
★ニューパワー爆発新連載!!
あの両さんが帰ってきた!!
秋本治
新たなる旅立ちの巻
こんにちは!みなさん!
両津勘吉長い旅からよりパワーアップして帰ってきました!
あら?
なぜ怒ってるの?
連載終了だと思ったじゃないですか
よく見ろ!終了なんてひと言も書いてない!見ひらきで日ごろのお礼をいっただけだ!

パチンコ屋の新装開店みたいなもんだ! 新たな気持ちでリフレッシュだ!
「素浪人月影兵庫」が同じキャストのままタイトルだけ「花山大吉」に変わってスタートしたろ!
どうだ? おどろいたか!
タイトルも新しく「こち亀Z」なんちゃって!
はは
まいったね
ふざけたやつだ…
お前などもう出なくていい!
ほかの漫画にいっちまえ!
まぎらわしいことしやがって!
わっ
なんだ!? このキャラクターは?
こんな敵はいたかな?
ハ…ハローナイスミチュー
や、やばい者…
どうもあやしいな
ズズ…

新たなる旅立ちの巻(完)

江戸っ子すし講座の巻

パパパパッ
ぜいぜい
はあはあ
どうしたんです先輩?
署に待ちかまえている借金とりの魔手からやっと逃げてきたんだ
毎月大変ですね
今日は30人くらいいたんだぞ まるで人気アイドルのテレビ局入りみたいだよ
人気があっていいじゃない
わしの血と汗と涙の結晶を無事 ここまでもってこられてじつにうれしい!
感動で胸がいっぱいだ
うっ
うっ
ううっ
そうだおまえたちに晩メシをおごってやろう
えっ

いいですよ
汗と涙の
結晶は
大切に使って
ください！
いいから！
たまには
後輩の
めんどうも
みてやらんと
な！
いいじゃない
ごちそうに
なりましょう
よ！
うーむ
しかし……
御徒町駅
スクランブル交
御徒町駅前
なじみの
すし屋が
あるんだ！
そこへ　いこう
やはり
すしが　一番
おいしい！
あれ
回転ずし
ひと皿
百円
本日
休業
残念！
今日は
休みか！

もう一軒いきつけの店があるそっちへいこう!
いつも ニコニコ
こどもずし
200円より
お休みでチュ!
くそ!! ここも休みか!
先輩ぼくたちラーメンでもいいですよ
そんなしみったれた事をいうなすしをおごってやる
あそこにもあるわよ
なに!
ジャ〜〜ン!
最高級江戸前ずし
大尽ずし
時価
な…なるほど
な…なかなかよさそうな店だなうん!
ねっあそこにしましょう!

そうだな！たまにはこういう店もいいだろ！
今日は給料日だからな！はっは
ガラ
らっしゃい！
どうぞこちらの席へ！
なかなかこぎれいな店だなうむ！
さあて！何にするかな！
上にぎり時価
とろ時価
うに時価
えび時価
いか時価
たこ時価
かい時価
あなご時価
しゃこ時価
さば時価
何からにぎりますお客さん！
そうだなまず手始めに……………

のり巻もらおうか! 活きのいいやつっ!
へへい!
私は何にしようかな…
かっぱ巻なんかいいんじゃないか!
ズ
ウニのおいしいのが入ってますよお嬢さん
じゃあそれにするわ!
ブッ
どうしたの?
いやなんでもない!
ゴホゴホ
いいトロがありますぜお客さん!!
じゃあトロ!
こらっオヤジ!!
本人にきめさせろよ! なんで高い物ばかりすすめるんだよ!
別に高いからすすめてるんじゃねえよ ネタがいいからそういってるんだ

じゃあ かんぴょうや キュウリも すすめたら どうなんだ
むちゃ いうなよ
気の きかねえ 店だよ まったく！
ズズ…
ピク
ぬるい お茶だ！ まずい！
おい 三吉！
熱い あがり もって こい！
すいや せんね お客さん
江戸っ子が こんな茶 飲めるかよ！
へい おまち！
ゴトン
うーむ まだ 少し ぬるいな！
ズズ
でがらしの 安い茶だから 全然 味が しねえな まずい！
そうだよ！ せめて このくらいじゃ ねえとな！
どうぞ 熱い うちに！

へい！ネタの中で一番安いのり巻おまち！
なに これ？かんぴょう一本しか入ってないの？
のりもひからびてるしこんなケチくさいのり巻をよく 客にだせるなァ
お客さんまちがえました！
そうだろオレもそう思った！
こちらがのり巻です！
ずん
やはりのり巻はこのくらい大きくないとね！
そうですとももう2～3本まきましょうか？
もっと頼んでいい？
もちろんどんどんいきなさい
アワビなどどうですお嬢さん
じゃあアワビね！
ピクピク

わしはタコをもらおうか!
へい!
はいタコ!
こりゃびっくり!
こんなうすいタコ初めてみたよ
へぇ――っタコのスライスかむこう側がみえる
こりゃ栄養失調のタコだな!古いネタだ!最悪!!
ピク
ピク
よく客にだせるなあどういう神経してるのか一度顔をみてみたいよ
お客さんまだタコの続きがありますから
えっ
ひょっとしてぼくのひとりごときこえたかな…まいったな!
それはほんの前座でして!
へいタコおまち!
ゴトッ

きゃあ！生きてるわ!!
カッパ
鉄火
こりゃ活きがいいな
うちのすしは活きのよさで天下一品！どうぞたべてください！
こういうのは新鮮なうちにたべた方がいい！
少しょう動いてたべにくいが……
ガブッ
ブッ
ぐわっ
スミをはきやがった！
うわっ
タコが逃げた！
つかまえて！早く！
ひゃあーっ

ちくしょう!!
夏の交通安全週間
あのすし屋に3万円もとられたちくしょう
変な物ばかり注文するからよ
そうですよ
だって!すし屋のオヤジ高い物ばかりすすめやがるから悪いんだよ!
両ちゃんも意地はるから結局 高くついちゃったじゃない
そこが頭くるんだよ今度 会ったらタダじゃおかんぞ
あっ!!
ぬっ
江戸前 大尽すし
辞典
地図帳

本当に警官だったんだね！こりゃ驚いた！
なんでこんなところにくるんだよ
日本は よほど警官が足りないらしいな
われわれの血税が こんなところに使われていたとは……
大きなお世話だ！
おっ
ガタッ
ご通行中の皆さん！
何もしていないのに警察官が私の首をしめております
こら！こら！もう 手をはなしてるだろ！静かにしろ！
市民を守るべき警察官がこのような暴力行為を するなど法治国家として…

じつは私道を聞きにきたのですよ!
ほかの交番できけばいいだろ!
ご通行中の皆さん!この警察官は道案内すらしてくれませんこんな事が許されていいのでしょうか!
わかったわかった
なかなか根にもつタイプだなおまえ!
とんでもないさっぱりしてるよ
チリリン
あぶない!
ガツーン
ドン
もう少しで自転車にひかれるところだ!いやあ危機一髪!
わざとやったな!くそ~~~っ
あんなところでまだやってるわあのふたり!
ふたりとも執念深いからなあ!

市民を助けるのは警官の務めですから!
シャキーッ
あぶない!!
いやあ危機一髪でしたよ!
どこが危機一髪だ!あてやがっててめえ!
皆さんききましたかこの暴力的な言動!ヤクザ顔負け!
こいついちいちマイクで叫ぶんじゃない!
おっと次は暴力です!痛い!痛い!助けてくださいだれか110番をよんでくださ〜〜〜〜い

せっかく おごってやると いってんだろ!
いいですよ 前に ごちそうして もらったから…
じゃ わしひとりで あのすし屋へ いってくる からな!
カラン カラン
どうぞ 遠慮なく!
消火器
あんな スタイルで いっしょに いったら 大変だよ
両ちゃんを おこらすと トコトンやる 主義だからね
最高級江戸前すし
大尽ずし
へぇ それで こらしめて きたのか?
あたぼうよ だまって られっかよ

ガラッ
うすっ
いよーっ
マスター
ボトル
だしてよ
ボリ
ボリ
うちは
ボトルキープ
やってませんよ
それじゃーっ
まず
牛丼の
並みひとつ
玉子
つけて
くれる
お客さん
牛丼屋じゃ
ないんですよ
ここは……
えっ!?
本当?
ダダダダ
ガ
ガ
本当だ
悪い
悪い
ちゃんと
すし屋って
かいてある
ははは……

じゃあ カレーライスの 大盛りね!
ガタッ ガタッ
三吉 この人は 熱い茶が 好きなんだぞ
そうそう まったく 気のきかない 店員だよ
熱いから 気を つけて くださいよ
ガラ ガラ
おっと
ギャあっちいっ
バシャッ
大丈夫ですか? だから 気を つけてと いったのに!
なーに これしき 大丈夫だよ
この前 いっしょに たべにきた 友だち 帰りぎわ 食中毒で 死んじゃってさ 3人とも
オレは あの時 たべなかったから 助かったけど それと比べれば 熱いくらい なんともないよ
おかん じょう して!
こっちも たのむよ

皆さん あの人 いってるんですよ ウソ まだ いいじゃ ありませんか!
用事 思いだしてね また くるよ
ちょうど あんたのと 同じマグロを たべてたん だよね 色も その時のと そっくり
へい おまち!
ガツン
何するんだよ!
できましたよ かれいライス!
こ これが カレーライスか?
そう! この店の かれい ライスの 大盛り
うちの かれいライス たのむなんて 通ですね! 江戸っ子でしょう!
バリ
バク
パク
モグ
バリ
どうぞ めしあがって ください
う うむ
こりゃ うまそう だな……
おう! 江戸っ子は こいつに 目が ねえんだ うまい!

江戸っ子すし講座の巻(完)

格闘ゲーマー警官登場!!の巻
30
質
一六質店
注意

全国警察柔道大会
警視庁代表選手権大会
でい
ぐわ!!
左近寺竜之介一本!
代表決定

でい
ぐわ
両津勘吉
一本!!
代表決定!!
今年も　あの二名が残ったか!
圧倒的な強さだ!
試合終了!
ガヤ
ガヤ
ガヤ
以上で
全国警察
柔道大会の
本選を
終わります

警視庁代表は両津勘吉氏左近寺竜之介氏二名に決まりました
警視庁代表選手権大会
78kg級
優勝 両津
95kg級
優勝 左近寺
オー
オー
オー
よくやった！二人共！
いやあ署長！どうも
パチ
パチ
パチ
お疲れ様です！
うちの署から二名出るとは感激だ！
こういう時だけ頼りになる！
『だけ』は余計です！
左近寺さんおめでとう
全国大会がんばって下さい！
女性の応援などまるで無視ですね
硬派だからなあいつは！

格闘技の鬼だ！
女など眼中にない
君達その花は私がもらおう！
いやよ！
あげるくらいなら捨てるわ！
そこまで嫌わなくても…くそ…
貴様らロクな死に方はしないぞ！
同じ代表なのに…
両津今日もやろうぜ
左近寺
OK！すぐ行こう！
あの二人仲いいのね
二人ともゲーム好きだからな
左近寺はゲームおたくだからね
格闘ゲームの鬼だよ！
えっ!?

例のバトルゲームですか
二人ともプロのレベルだよ
近頃は得意技などを選び 選手を作れるタイプがあるからね
あれで最強のを作って 戦い合っているらしいよ
先輩達は凝り性だからなぁ
いろいろやってるのね!
怒神東拳!
範聖拳!
やるな! 左近寺!
うぬぬくそおぉ

ザッ
うおおおお
ちぇーすと!
おお
どりゃああ
危ねぇ!
うおおっ
獣戦崩壊拳!!
あっ
勝った!
か…
やられた!!
ぜい
ぜい
ぜい

※プロテイン＝筋肉を作る栄養素。たんぱく質。

拳神IIIでの動きを ビデオに撮ってきた!
何!
技がかけにくいと言ってたろ
カシャ
画面をビデオに撮ってコマ送りすると動きがよく分かる
カチ
カチ
カチ
なるほど!
この時上上下下右左A Bだ分かるか
うむ
このタイミングか!
裏技を全て収めて来た
いっぱいあるな
このノートはなんだ
最短時間での相手の倒し方だ
コンピュータの動きのパターンを確率的にまとめてみたんだ
参考になると思う
凄い手間だな…
なるほど
勉強になる
両津勘吉
Coffee

ド
キ
竜之介君!
ななんだ 女性の声がしたぞ!!
キョロ キョロ
テープを間違えた!
竜之介君!
ゲームの画面が話しているんだよ!
なんだ?
竜之介君!
これは本田にあげるテープだ!
うっかり混じっていた
今のは なんのゲームだ!?
『ときどきメモリアル』だよ 恋愛シミュレーションだ!
※SLGか! ゲーム誌で見たな!
名前や誕生日を入力するんだ
自分の名でゲームに参加できる訳だ
あなたの名前を教えてね
名字
名前
あだな
あ
△前
亜 哀 相 愛 相 会 青 葵
▽次
あ か さ た な は ま や
い き し ち に ひ み
声が出るとは凄いな!
CD-ROMだから情報量がすごい 名前と名字の音声が1000パターンある なければ合成音で作れる


※SLG=シミュレーションゲームの略。

自分の名を呼んでくれるゲームソフトはこの「新作」だけだ!
ほうこれか!
新 どきどきメモリアル
世界初名前呼びかけシステム
あなたの名前を呼びます
本田に頼まれて裏技を見つけてビデオに全て収めたんだ
噂には聞いていたがこういうのか…
お前の名前が浮かんだから打ち込んでしまった! ダビスタの馬の名にも使ってるが…悪かったな!
パコッ
いや! 別に! いいが!
いきなり色っぽい声で 名前を呼ばれたので驚いた!
声優を使っているからな! それは!
格闘ゲームばかりやっていたからな! ここまで進んでいたとは…
麻雀 パチンコ 釣りなどのオヤジゲームも!
俺達の知らぬ間に かなり進化しているぞ
このゲームの凄い所はな!
えっ
マッスル1000
プロテイン
親しくなるとあだ名で呼んでくれるのだ
何!

ねえ竜ちゃん
そういうきめの細かさが人気の秘密だ！
凄いなこれは…
おっとそろそろ派出所に戻らないと
………
これ…ちょっと貸してくれないか？
えっ！
お前！やるのかよ！
ばか言うんじゃない！
硬派の俺がなぜこんな物を！
格闘ゲーム一筋！男の中の男の俺がやるはずないだろ！
じゃあ必要ないだろ！
弟が確かこのゲームをやりたがっていたから！
何弟!?
あいつはゲーセンに一度も行った事ないはずだぞ
いや！急にゲーム好きになったんだ本当に!!

前から一度『どきメモ』をやりたいと言っていたので！
いいよ！貸すよ
これでよし！
シャッ
人目はない！
柔道師範の俺が こんなのをやってる事がバレるとうるさいからな
KING OF KING
えーと 左・近・寺・竜・之・介・あだ名は竜・ち・ゃ・ん
来た来た
あっ 早乙女沙織ちゃん
お早よう竜之介君！
竜之介君！
き…
ぐらっ
効くぜこれは！
SAKONZI

ようし
デートだ！
行け！
はい！
早乙女です
デート？
どうしよう
かなア…
デート？どうしようかなァ…
決めろ！
一気にGO!!
竜之介君
いいわよ♡
いいわよ♡
うおおおおお
やったぜ
大成功!!
ちぇーすと！
何着ていこうかな!?
何着ていこうかな!?
そうだ！
服選びだ
オレは
紫のジャージ
上下に！
サンダルで
決まりだ
フフ…

竜之介君センス悪いわね！
がぁ～ん
しまったつい日常のセンスが…
うーむこのゲームは奥が深い！
おい左近寺
お前近頃見る本が変わったな
え!?
そそうかな?
部屋も少し変わった気がする！
SNOWB
ところで『どきメモ』って海へ誘うのはどうするのかな!?
海に!?

パラメーターの運動が80以上になった時 運動のコマンドを実行するんだよ
なるほど80…か
どうしてそんな事聞くんだ!
いや弟に頼まれて!
弟に!
あいつ 恋愛シミュレーションにすっかりはまっちまった
本当ですか!
男の世界しか知らんからなあいつは!
挨拶は『押忍』しか知らん!
それが女の声で『竜之介くんお早よう』と呼ばれてみろ
生まれて初めての衝撃だからな!
無菌状態でしたからね
たとえゲームの声でもな
左近寺さん柔道の練習も休んでいるらしいわよ
やばいな
竜之介君が傘持っていてくれて助かったわ
いいムードになって来たぞ
ドキドキ
竜之介君が 傘 持っていてく

ねえ！竜ちゃん！
うおっ!!!
ドキッ
ついについにあだ名で僕を…
こうして相合傘で下校していると…
他人からは恋人同士に見えるわねきっと♡
へなへな
おお…
ずーっとこのまま歩いていたいわ
ぐにゃ
だめだ…とろける…
ピク
ピク
また徹夜になりそう…
何！恋愛ソフトを買いまくっている！
パソコンまで買ったほどだ！
けいさつ
次から次へソフトを買って20万円は使ってるぞ
なんと…
すっかり虜だな………

市販のゲームじゃ飽き足らずゲームマーケットまで行って来て…
何!!ゲームマーケットに!
そんなディープな世界にまで踏み込んでいるのか
ゲームマーケットって!?
個人で作ったゲームの売買さパソコンゲームのキットも発売されているからね
コミケのゲーム版みたいなもんだよ
そこで『アンジュリア』を買ったらしいという噂が…
なんだと!
禁断のゲームを買ったのかあいつ…
なんです『アンジュリア』って?
その…なんと言うか…
愛した美女は実は男で美少年だったという…
おホモ達になってしまう訳だ!
えーーっ
今すぐ止めに行こう
はまったら大変だ
おい左近寺!
『アンジュリア』は…

柔道全国大会
第一リーグ
左近寺竜之介!
第1000回警察官全国柔道大会決勝戦
あらなぁにィあたしに用事?
愛しているよ
遅かったか…
くねっ
あらん!
可愛い男の子ねェンあ・な・た
うふん
ぞ～～
いらっしゃい坊や!可愛がってあげるわよ
以前とちがうよ～この人!
助けてくれ～～～
あの人が去年全国一位になった人?
…以前より怖い気がする
ひぃぃぃ
グイ
ガヤ ガヤ ガヤ ガヤ ガヤ ガヤ
お前のせいで人格が変わってしまったぞ
どうする気だ!
得意技が変わっただけで勝てますよ!



格闘ゲーマー警官登場!!の巻(完)

WJ連載1000回！
お祝いメッセージ

# 本田へ一言！

最近単車での活躍が少ない様なので、もっと単車で暴れて下さい。
これからもバイクに乗って暴走族をつかまえてね！
本田君の出番が少ないのでこれからの活躍を期待しています。
その変ぼうぶりで、がんばって下さい。
最近バイクに乗らないので、バイクで切れた走りを見せて下さい。
菜々ちゃんと幸せな家庭を築いて下さい!!
バイクに乗ったら世界最強!!!これからもがんばって下さい。
いつも両さんにじゃまされるけど菜々ちゃんとはうまくやれよ!!
これからもスピード違反を捕まえてください。
いつまでもバイク好きの若者のアイドルでネ!!
〃一輪の悪魔〃暴走族総リーダーの本田を見せて!!
本田さん、両さんといっしょにがんばって下さい。
両津にジャマされず、菜々ちゃんとうまくやって下さい。
乙姫ちゃんを必ずものにせよ。
乙姫菜々さんを幸せにしてあげてください。
本田よ、バイクをおりても気を強くもて。
今度、バイクで勝負しろ！俺はメチャメチャ速いぜ！
最近バイクに乗ってるシーンがない本田さん、たまには乗ろう。
バイクに乗った時のかっこ良さを彼女に見せ一気に結婚だ!!
オレも本田さんのような警察官を目指します!!
本田、両さんに負けるな、菜々ちゃんを取られるな。
まだこち亀歴一か月の私ですが本田の〃ふにょ♡〃にハマりました。
いつも両さんにムチャクチャにされてるけどずっとがんばってね！
仕事と菜々ちゃんへのレンアイを両立させて大活躍！
最近変身した姿を見ていない。あのかっこいい本田が見たいです。
人生絶対なせばなる！いろいろな面でがんばれ！
音速のジキルとハイド本田速人。
アクセル全開でこれからも元気に突っ走って下さい。
近ごろ乙姫との具合はどうだい!!
本田くんと日本一周がしたい。
これからも、菜々ちゃんとなかよくしろよ。
ずばり、いつか両さんを越える人になって下さい！
バイクに乗っている、これぞ男の本田をもっと見たい！
日本最強の白バイ警官・本田巡査！
両さんにいじめられず、明るく楽しくがんばれ！
バイク乗りには厳しい季節となってきたけどガンバレ!!
弟の門樹はどこだ？父親の名はなんだ？本田家は謎が多い。

〈東京都〉高橋正信
〈北海道〉福地規泰
〈千葉県〉稲生美佐子
〈長崎県〉日田幸夫
〈兵庫県〉郡田　剛
〈東京都〉下平　敦
〈兵庫県〉北野哲也
〈香川県〉増田賢一朗
〈北海道〉三谷英一
〈山口県〉小松和利
〈栃木県〉栗橋秀治
〈和歌山県〉小西拓也
〈千葉県〉岩井貴陽
〈京都府〉井崎哲弥
〈大阪府〉前田義治
〈三重県〉植田拓也
〈神奈川県〉藤原晴幸
〈愛媛県〉藤岡清孝
〈愛知県〉林　和樹
〈埼玉県〉四方田智広
〈岐阜県〉豊田浩治
〈東京都〉水野尾祥子
〈京都府〉ジョニー
〈大阪府〉立花三樹
〈神奈川県〉山崎正勝
〈埼玉県〉渡辺明宣
〈東京都〉長井政明
〈愛媛県〉永田克弘
〈東京都〉鈴木雄介
〈栃木県〉小澤春香
〈新潟県〉網島和紀
〈神奈川県〉藤野庄三
〈愛知県〉西浦功哲
〈神奈川県〉安達　仁
〈茨城県〉福田　亮
〈東京都〉山本　大
〈福岡県〉戸塚将太

本田さんとジェットコースターにのりたいな。
連載千回を越えても、いつまでも暴走し続けて下さいね！
これからもバイクに乗って、かっとばしてね。
これからも、両さんとかかわって事故しないように。
こんどは、失恋しないで菜々ちゃんとがんばって!!
バイクに乗った時の顔がかっこよすぎます！
二重人格を私の看護で、お手当してあげたいな。
昔みたいに豪快に取りしまる本田さんの勇姿をみたいなあ。
菜々ちゃんとお幸せに。
これからも、いろいろな犯人をつかまえてがんばって。
その変貌ぶりで、これからも悪いやつをつかまえまくってね。
最近あまりバイクに乗ってないので、もっとバイクで活躍して！
これからもバイクで『こち亀』中をあばれまくって下さい。
両さんに振り回されて大変だけど、バイクで元気に突っ走れ。
本田君、乙姫ちゃんにきらわれないようにがんばってください。
これからも、とんでもないバイクテクニックでがんばって！
これからも白バイでかっこよくとばしてがんばってください。
はやく本口リカさんとケッコンしてくださいよ〜。
いつまでも両さんと仲よくものすごく危険なバイトに挑戦してね。
一日も早く乙姫ちゃんと結婚してね。
バイクに乗って、日本一のスピード出してがんばって！
これから先も、バイクと共に弾丸のような走りで、ぶっちぎれ!!
バイクに乗ったら天下無敵！きあいブリバリ明日へはばたけ！
菜々ちゃんと絶対結婚して幸せつかんでください。
本田さん、絶叫マシンに立ち向かうあなたを僕は尊敬します。
菜々ちゃんとのゴールインまでもう少し、最後まであきらめるな!!
これからも、愛機CB750と共にバリバリがんばってくれ!!
とってもかわいい乙姫菜々ちゃんを大切にしろよ。
これからもバイクでかっとばし両さんといっしょにがんばってね。
どっちの本田さんも素敵ですよ、頑張って！
バイクに乗っていない時も体に気を付けてね！
今度、いっしょにツーリングに行きたいなあ。
本田さん、ガンバ!!私はあなたの味方です。
白バイに乗ってこれからもかっ飛んで下さい。事故に気をつけて！
あの変わり方はすごすぎる。一度両さんとバイク対決してみて！
バイクでの活躍待っている。フレ！フレ！ホンダ。
バイクかっとばし、これからもバリバリガンバレベイビー!!

〈新潟県〉保坂留美子
〈北海道〉田中　陽
〈埼玉県〉金井俊之
〈京都府〉図越利彦
〈愛知県〉中村駿介
〈東京都〉芹澤　剛
〈大阪府〉大石美穂
〈神奈川県〉榎本光邦
〈秋田県〉後藤　司
〈沖縄県〉呉屋隆二
〈大阪府〉前園健司
〈大阪府〉瀬戸口大介
〈北海道〉木村文貴
〈千葉県〉木内絵美子
〈北海道〉田中聡史
〈愛知県〉岩越俊明
〈埼玉県〉柿沼和樹
〈山形県〉高橋宜弘
〈東京都〉花村純一
〈京都府〉田中恵一
〈東京都〉春山宏樹
〈神奈川県〉丸山祐之
〈群馬県〉荻野雄大
〈静岡県〉川口孝之
〈千葉県〉橋本賢彦
〈埼玉県〉田沼賢一
〈群馬県〉桑原弘隆
〈福岡県〉森田浩生
〈愛知県〉川野　晋
〈岡山県〉和泉千恵
〈東京都〉村澤誠一
〈山梨県〉高橋かおり
〈愛媛県〉中村　忍
〈東京都〉青木秀樹
〈千葉県〉大塚栄介
〈埼玉県〉柴崎雄輔
〈秋田県〉安藤厚志

日暮2号!?登場の巻

HELS
月
構想 上田謙二
漫画 秋本 治

秋はオープンカーにかぎるな!
ビイイイン
そうですね!
神宮外苑の銀杏並木通りを走ると最高ですよ
ドラマのワンシーンみたいだからな
あっ
まさか!
バババ
あっ先輩!!
どけどけ
ダダ

おい！
くそ！
銀行
見失ったか！
山田火災
どうしたんです！
えっ日暮さんが歩いていた!?
そうなんだよ
日暮さんは4年間眠り続けているはずですよ
起きるのは4年に1回
今年起きたから次に起きるのは2000年よ！
他人のそら似じゃないですか？
違う！
わしも一瞬目をうたがったんだけどな
絶対間違いない

ビジネススーツを着ていたが
完全に日暮だ
日暮さんはスーツなんて着ないわよ!
ビジネス街を歩いているなんて…
本当に見たんだ!
4年間寝ているふりをして他の会社に勤めているんですか?
その可能性もある!
まさか!
あいつの部屋に行って確認して来よう!
えっ!起こすんですか!!
日暮さんは寝起きが悪いからまた暴れますよ!
本人かどうか確かめるだけだ!

ほら寝ていますよ!
2000年まで起こさないでね♡
日暮 熟睡男
中を確かめてみなきゃわからん
くそ!カギが
なんか変な気分ね!
ドアがきれいで日暮さんの部屋とは思えないわ
いつもは4年間放置した状態だからね
きゃあ
よし!開いたぞ
ギイイ
カチャ
信じがたい事をするな!
中は真っ暗ですね
全然カビくさくないな!

ハンドライトを持ってくればよかったですね
確かここにスイッチが……あった！
これで明るくなる
パチッ
あ
日暮がいた!!
完全な状態で冬眠中の日暮を見るのは初めてだ
まだ寝てから数か月ですからね

寝る前に「こち亀」のコミックスを全巻読んでいたみたいですね
99巻目で疲れて寝た様だな
作りかけのフィギュアがありますよ
なんだと！
TAMIYA
パテ埋めの途中で飽きたみたいだな！
趣味が広いですね
これはなんでしょう
ハガキとラジオが!?
FM東京
FM放送にリクエストを書こうとしていたらしいな
おそらくラジオ聞きながら寝たんでしょう 電池が切れています
食事らしいけど…これは？
三色パンだよ！
3.6
牛乳

日暮は三色パンが好きなんだよ！特にチョコがな！
わしが三色パンとはジャムとクリームと・・・アンコでチョコは邪道だと言ったんだ
あいつはガンコで認めないんだ！チョコはモスラの形をしたコロネパンだけでいいよな
3個のうちチョコだけ当てて食べていますね！
日暮さんの完全な姿を見るのは妙ですね
セミの幼虫を掘り起こした気分だな
こんな状態じゃ街を歩けないですよ
そうだその事で来たんだっけ！
おい起きろ日暮!!
あっムチャしないで先輩!!
グイ
お前今日新橋を歩いていたよな！
ビジネススーツを着て!!
う…む

ビビーン
きゃあ
麗子さん
逃げよう
起きろ!
日暮
目を
覚ませ!
バキ
ドビシ
やはり
日暮さんの
機嫌が悪い
みたいだ
うわ
ガーン
バキ
ベキ
ボキ
なんだ
これは!?
日暮が
起きたぞ!!
うわ
逃げろ
ドゴ
ビシ
バキ
ボキ
ドコン
ひいい
なに!
警察寮で
日暮が起きた!
寮のまわりが
メチャクチャ
です
すぐに
急行しろ!

ファアーン
うわっ!!
ギャッ
日暮が怒っているみたいだな
誰か途中で起こしたな
部長！先輩が起こしたんです
なんてやつだあのバカ！
臨時ニュースを申し上げます
葛飾区で原因不明の被害が出ています
突然地面が押し潰された様に…
大変な事になっているぞ
レンタルビデオ

どんどん被害が広がって…
止めねばいかんな！
急用だ出かける…
課長！これから会議が！
インターネットでリアルタイムで参加する
はい
屋上のヘリを使用する
はい課長
バゴ
まるでゴジラ並だ手が付けられん
手が付けられなくしたのはお前だろ！
あっヘリが!?
なんだ？

ズズン
あっ お前は！
日暮じゃないか!?
キュン
キュン
これは一体！
たばこ
はじめまして 日暮熟睡男の 双児の弟で 起男と申します
何！ 日暮の 弟だと!?
そんな事 聞いてないぞ
兄は プライベートな 事は あまり 話さないので
そ そう言えば…

経済誌で見た事があるあの有名な…企業社員!!
知っているのか?
4年間 約4万時間眠らず世界をかけ回り何千億円の契約をまとめるエリート社員!!
まさに不眠の超企業戦士です
この男か!! わしが見たのは…
お兄さんは4年に1度しか起きないのに…
暴走する兄を止められるのは私しかいません
なんだって!?
うわっ今度はこっちに
危ないぞ逃げろ!
鮮魚店

むん
ブオ
おお
松山電器
内海鮮魚
田中文具
弟の方も超能力者なのか!
能力も互角のようですね
兄はまだ睡眠不足でパワーが完全ではありません
今ならば私の方が有利です
頼りになるな!

ピ
ピ
ピ
ん⁉
はい！日暮起男です！
東洋商事の取締役ですか！これはどうも
先日の件ですが当方としては20%という解答が…
こら！商談するんじゃない！
バリアーが！
ドン
うわっ
空中で停止しながら商談してるとは…
4時にそちらへうかがいます
さすが超企業戦士ですね
太田酒店
やはり起男か！
あいつが来たとは！

うお！日暮も飛んだ
肉のミート君
起男
会社に戻って仕事をしろ！
バ
うわ！すごい戦いだ！
兄さんこそ寝ていろ！
よけい被害が多くなったぞ！
ヘリが来るわよ
バッ
あ！あれは！爆竜大佐だ！
スナック火星人
カラオケ

話はボルボから聞いたぞ!
援護するぞ
ドドドド
ヒュッ
ヒュッ
ヒュッ
あまいぞ!
うわ ミサイルが!!
ヒュル
ひゃあ
むん
ピタ
空中で止まった!
兄弟の対決だ!

起男！じゃまするな
兄さんこそ早く寝ろ！
弟の方が強い！
全開パワー
エアマックスエクスペンシブ!!
やった！
ドメメッ
これであいつもまた寝るだろ！
すごい戦いだった
ふああおかげでバッチリ目が覚めたぞ
何!! まだ元気だ！

よりパワーアップした様です
弟！とどめをさせ！
どうかしたのか？
今日は何年の何月何日だ？
ずっと起きてるから日時の感覚がなくなったみたいだな
平成8年11月26日だよ
げっやはり
起き続けて4年経過した！眠りの周期に入ったよ…う…だ…
ドタッ
おい！ちょっとまて！
私を起こしたやつは誰だ出てこーい！
おい起きろ！日暮の暴走を止められるのはお前しかいないんだぞ!!
4年に1度寝るとは…まったく正反対だ…
グオオオオ


 日暮2号!?登場の巻(完)

WJ連載1000回!
お祝いメッセージ

# 日暮へ一言!

水泳で金メダル取れるからオリンピックに出てくれ!!お願いだ!! 〈神奈川県〉橋本和敏

今度会う日は二〇〇〇年。ノストラダムスにまけるな!! 〈富山県〉山崎達也

千回記念なんだから、起きて一緒に祝いましょうっ!! 〈東京都〉矢沢高宜

四年に一回だけど、その一回の大活躍を星に願います。 〈千葉県〉山本 純

両さんは町会の水泳大会、日暮はねないでめざせシドニー五輪を! 〈千葉県〉品川盛治

4年に1度しか登場しないけれど、さらなる活躍を期待しています。 〈三重県〉村林大輔

四年後の登場を楽しみに待っているよ! 〈埼玉県〉藤川大祐

乾燥しないようにくれぐれも気をつけてください。 〈長野県〉奥西健吾

連載千回おめでとう。けど君は何回登場したんだ? 〈茨城県〉津田真弓

いつもねていられていいな。これからも問題解決ガンバッテネ!! 〈長野県〉宮原美里

僕は日暮さんの四年に一度の活躍を期待しながら待っています。 〈大阪府〉近藤弘樹

西暦二千年のシドニーオリンピックまでゆっくり眠っていてね。 〈静岡県〉中村 亘

二千年のシドニーオリンピックまであと何日?早く会いたい! 〈埼玉県〉越智慎一

こち亀を見習って、登場千回を目指してね! 〈神奈川県〉谷口政美

こんどはシドニーで会いましょう。 〈東京都〉長井政明

四年に一回の登場に楽しませてもらっています。ガンバレ日暮!! 〈埼玉県〉後藤直樹

あの人知をこえた超能力でみんなに大迷惑をかけてね。 〈埼玉県〉笹沼 瞬

今度のオリンピックでるとき、水泳でがんばって!! 〈神奈川県〉林 淳一

'98年は日本でオリンピックをやるので、起きて下さいね。 〈東京都〉清水 玄

今度水泳ではやくなるコツを教えてくれー。 〈東京都〉杉山晴彦

もっと早起きしてください。 〈北海道〉河村政紀

体に気を付けて心おきなくねてください。 〈奈良県〉川本仁志

四年に一度しか会えないけど信じられないことを起こしてね。 〈埼玉県〉渡辺青子

得意の水泳で四年後のオリンピックを目指して下さい。 〈埼玉県〉川島 崇

四年後のシドニーオリンピックには必ず水泳で出場して下さい。 〈群馬県〉新井英成

四年間よく休んで、またその特異なキャラで活躍して下さい。 〈茨城県〉広瀬敦史

四年に一度ですが大好きです。次も大活躍してくれ。 〈神奈川県〉吉田健一

四年後のオリンピックでは水泳で金メダルをとってください。 〈新潟県〉小林貴也

お前が寝ている間『こち亀』が千回を突破した。 〈兵庫県〉阿弥達也

来年からは、四年に一度しか休まない警官になって下さい。 〈北海道〉岩村圭輔

日本警察の最終秘密兵器! 〈神奈川県〉安達 仁

出番は少ないけど、その超能力で何でも解決だ!頑張ってね♡ 〈青森県〉鈴木純子

シドニーオリンピックで目覚めるのを楽しみに待ってます。 〈滋賀県〉森田朝輝

シドニーオリンピックがある時の登場が楽しみです。 〈熊本県〉木村豪気

これ以上、ねないで!! 〈栃木県〉住吉宏太

次の登場を楽しみにしています。 〈岐阜県〉矢島和典

四年間たった一度の出番です。そんな日暮を忘れないでネ。 〈神奈川県〉澤田崇之

天才日暮さんの超能力で誰にも手におえない事件を解決してね。 〈愛知県〉水谷ゆかり

その睡眠時間分けて!! 〈鹿児島県〉安田浩平

おめでとう!とは言っても四年後まで会えないんですね…(涙 〈山形県〉高橋宜弘

長野オリンピックの時にも出てくるのか心配です。 〈福岡県〉本多哲士

目覚めの一発!超オカルトに末長く期待しています! 〈栃木県〉河原健一

二千年のシドニー五輪での復活心待ちにしております。 〈新潟県〉皆川 岳

シドニーオリンピックまで活躍待っています。 〈佐賀県〉川端雄樹

日暮、起きろ——! 〈広島県〉山根正雄

四年に一度の登場でも忘れたことは一度もありません。 〈広島県〉芹澤 剛

五輪で金メダルをとって日暮をいう名を世界に広めて下さい。 〈埼玉県〉山本博和

四年に一回という少ない登場を、有効に使ってがんばって下さい。 〈三重県〉蒔田 理

冬季オリンピックの年は寝たまま出て! 〈東京都〉清村健五

今度のオリンピックは金メダル目標で、ねながら練習がんばれ!! 〈千葉県〉鷲見智行

長野オリンピックをやるときはおこしますよ。金メダル目指せ! 〈北海道〉曽田信之

ねる時間をもっとふやして、もっと超能力をつかってね。 〈熊本県〉修理つばさ

四年に一度といわずにもっと出てきて超能力で大暴れして! 〈静岡県〉野木孝眞

今度は冬季オリンピックの時も起きて下さい。 〈東京都〉田中則雄

オリンピックに興味がもてたのもあなたのおかげです。 〈長崎県〉田代和俊

天才は忘れた事にやって来る。がんばれ日暮熟睡男。 〈福岡県〉西藤健次

これからも仕事がんばって下さい。四年に一度だけど。 〈大阪府〉西永真人

冬季オリンピックの時も起きてみては?? 〈岡山県〉藤原佑輔

シドニー五輪での登場、期待しています。 〈徳島県〉戸田武志

出番が少ないけど出てきた時は両さんよりめだってるよ。 〈埼玉県〉橋本 潤

冬季五輪のときも起きて下さい。 〈長野県〉青木 薫

四年に一度のスーパースター!また会う日までお休みなさい。 〈新潟県〉小黒信一

シドニーでまつぞ!! 〈岡山県〉伊藤裕二

いつも四年に一度の登場だけどがんばれよ。 〈山形県〉田中秀和

四年に一度おきるから、オリンピックに出てみて下さい。 〈秋田県〉?

四年に一度しか出てこないのがさみしいが、出た時は目一杯活躍して。 〈茨城県〉上村彰人

中川の父「72時間働けますか」という教訓を見習え。 〈石川県〉塚本裕一

四年に一度しか起きないから、五百年生きてくれ! 〈群馬県〉内田将彦

日暮!オレのこと覚えてるか! 〈鹿児島県〉堀 佳一

四年間グッスリ休んで一日の間あばれまくってくれ。 〈滋賀県〉西出武司

君がオリンピックをつれてくる。これからも四年に一度の大活躍を。 〈埼玉県〉小林秀臣

グーグー…はっ!!寝とった。日暮はよく四年も寝てられるな。 〈福岡県〉戸塚将太

目覚まし時計は持ってないんですか? 〈山口県〉川島五郎

モーニングコールをしてあげたいんですがTEL番号は…。 〈東京都〉井上 宏

WJ連載1000回!
お祝いメッセージ

# 左近寺 電極一家へ一言!

## 左近寺

ゲームだけでなくガレキの腕も磨いてたくさんフィギュアを作って。
「アンジュリア」はあきましたか?ともかく、まあがんばって。
同じゲーマー同士これからもガンバレ!!
パワフルでマニアックなところが最高です。さらなる活躍を。
同じ『ときメモ』ファンとして応援します。
こち亀千回突破おめでとう。これからも格闘技やゲームがんばれ!
竜之介恥じるな!これからは堂々とときメモるんだ!ガンバレ。
オレも「ときメモ」好きだぜ!!これからもどんどんハマってくれー。
ゲームの時、暴れるのはひきょうだぞ。
日本警察きっての格闘ゲーム警官・左近寺巡査!
左近寺さん。ずっと好きでした。私と付き合ってください♡
そのいかした筋肉を生かして柔道をがんばってね!
その強靭な体でテレビゲームに柔道に、これからも大暴れだ!
オレの目標、最強ゲーマーポリスマン。
今度一緒に格闘ゲームをやりましょう!負けないぞっ!!
その似合わない容貌でますます美少女ゲームにはまって下さい。
ときめきメモリアルのキャラクターで登場して下さい。
これからもギャグの連続技で笑わせてください。
もう美少女ゲームにはまるなよ!!
格闘ゲームや恋愛シミュレーション、お互いがんばりましょう。
両さんより格闘ゲームうまくなって読者をボウッて言わせて♡
左近寺がんばれ!!新キャラでもおれは気に入った!!
ますます恋愛ゲームにはまっちゃってくださいね。
これからもどきメモや柔道をがんばってください。
あなたみたいな男性が、理想の私って一体…。
左近寺の目は、いつも血走っているぞ!コワイ。
左近寺みたいな奴を、オレは知ってるぞ!
両さんをも負かす天才的ゲーマー!これからも期待しています!
鍛えぬいたその体で両さんを倒し、主役の座をうばってやれ。
ぜひ左近寺さん自ら格闘ゲームを作って発売して下さい。

〈大阪府〉今田宗男
〈滋賀県〉門阪大輔
〈兵庫県〉中野真太郎
〈大阪府〉富盛浩
〈富山県〉太田暁
〈福岡県〉宇畑良亮
〈群馬県〉木下将輝
〈静岡県〉澤野聖
〈広島県〉山根正雄
〈神奈川県〉安達仁
〈兵庫県〉東敦子
〈兵庫県〉武田祐一
〈埼玉県〉井上卓
〈東京都〉長井政明
〈東京都〉矢沢高宜
〈滋賀県〉池野仁
〈北海道〉井上裕
〈三重県〉大北亮
〈岡山県〉小田知典
〈大阪府〉居安潤
〈徳島県〉杉野高志
〈新潟県〉木村一貴
〈山形県〉高橋宜弘
〈埼玉県〉柿沼和樹
〈熊本県〉和田成子
〈愛知県〉金村剛
〈長野県〉谷口初男
〈茨城県〉上村彰人
〈兵庫県〉中村佑也
〈兵庫県〉清水章男

## 電極一家

スーパーハイパーギャグエンターティメントを目指して下さい。
一万円のパソコン、百円のゲームを作って下さい。
高額自動しん出しタイプのシャーペンは何円まで安くなった?
ジュニアデスクを売ってくれ~!
コンピュータのいろんなことで、これからも活躍してね。
インターネットのやり方をおしえてくれ!!
これからも変な発明がんばって。
たまには、自然の中で空でも見てくれ!
十君へ、ボクを弟子にしてください!!
これからも色々な変わった道具を発明して活躍してネ!
いつもデータにたよるなよなあ。
また新しい機械を作るのを楽しみにしています。がんばってね!!
これからはそのハイテクで、宇宙進出してみては?
頭の中で考えたことを映像化できるビデオカメラをつくって!!
これからも、もっと楽しくて面白い物をつくってくれ!
これからもすごいメカを作りつづけて下さい。
社長、いろいろな変わった製品をつくってがんばって下さい。
私がビル・ゲイツを倒したら、次は君たちが標的だ!!
こんな家族が、となりにいたらコワイぞ!
これからもスゴイ商品を作ってください。
あなたたち一家は、変な名前ばかりですね!
ハイテク音痴のボクに、是非御指導を!
いろいろなハイテク機器を作ってください。
親子の会話はありますか?携帯電話でしゃべってたりして…。
十くんへ。そんな大人びた会話をしないで子供らしくしてよ。
ハイテクランドセルは、さぞかし重いんでしょうねえ。
こんなハードスケジュールの小学生を見たことない。
よく、そんなすごい発明ができますね。
これからも、どんどん登場して頑張って下さい。
一緒に会社をつくって大金持ちになりたいです。

〈大阪府〉西河穂乃香
〈静岡県〉小沢健英
〈東京都〉鈴木雄介
〈宮城県〉佐藤隼
〈福岡県〉松永尚也
〈愛知県〉長谷川裕祐
〈三重県〉米田浩之
〈埼玉県〉高力孝裕
〈東京都〉田中正裕
〈埼玉県〉笹木孟
〈兵庫県〉松本純一
〈千葉県〉月岡達長
〈埼玉県〉板倉徹
〈岐阜県〉波多野義彦
〈愛知県〉山崎貴之
〈兵庫県〉山本将一
〈愛知県〉中村航
〈奈良県〉木野英史
〈山梨県〉田村恭平
〈大阪府〉桜井誠司
〈静岡県〉木内俊見
〈岩手県〉村西泰彦
〈北海道〉三谷英一
〈奈良県〉山川昭
〈神奈川県〉飯田美佳
〈大阪府〉川崎寛
〈静岡県〉水元良平
〈埼玉県〉野村光子
〈鳥取県〉三好直行
〈長崎県〉木村樹彦

WJ連載1000回!

お祝いメッセージ

# 『こち亀』へ一言!

マンガ界のきんさんぎんさん目指してジャンプ道まっしぐら!　〈山口県〉篠原桂二

これからもがんばって今度は連載二〇〇〇回を目指して下さい。　〈高知県〉門屋幸成

止まることのない爆走。二百巻へ向かって走り続けてください。　〈茨城県〉石濱渉

僕が生まれる前から続いているこち亀。いつまでも続いて欲しい。　〈神奈川県〉山崎正勝

これからも末長く私達読者を楽しませてください。　〈千葉県〉柴田めぐみ

僕達をこれからも大笑いさせてくれ!　〈千葉県〉深田悠

目標一五〇〇回。これからも爆進だ!!　〈神奈川県〉吉田寛

親子二代でよませてもらっています。目指せ連載二〇〇〇回!!　〈愛媛県〉芳村純

目指せ一万回連載!!連載一万回目は3D立体アニメーションだ。　〈千葉県〉久野浩之

これからも、連載を十年二十年と更新し続けてください。　〈東京都〉米沢慎也

本当におめでとう。これからも一緒に人生を歩もう。　〈栃木県〉小倉崇

『こち亀』がボクの人生を変えた。　〈長崎県〉久保田透

勝鬨橋をひらいた時のいきおいで二〇〇〇回めざしてガンバレ!　〈千葉県〉古谷知新

これからもぼくたちを、楽しいギャグで笑わせてね。　〈神奈川県〉平野稔

我らがこち亀、悪を倒し未来の日本のためにがんばれ。　〈神奈川県〉平野智史

千回達成おめでとうございます。亀は万年なので次は一万回ですね。　〈神奈川県〉山崎正勝

こち亀は永久に不滅です。　〈東京都〉中村晃

コミックス二〇〇巻めざしてがんばれ!　〈千葉県〉大口純也

原作もアニメも最高っすよ。　〈神奈川県〉田中一宏

これを読んでいつも時代の流れも読んでいます。おめでとう。　〈東京都〉今津靖和

一〇〇〇回おめでとう!次は一五〇〇回目指してがんばろう。　〈滋賀県〉森田朝輝

これからも変わらずにがんばって下さい!　〈岐阜県〉高橋俊壱

鶴は千年、亀は万年!!めざせ連載一〇〇〇〇回!!　〈宮城県〉佐藤健一

こんどは連載二〇〇〇回をめざしてがんばってください。　〈愛媛県〉松本和貴

二〇〇〇回、三〇〇〇回……まだまだ記録更新し続けてください!!　〈熊本県〉坂本祐司

こち亀は僕のバイブルです。こち亀は永遠に不滅です。　〈石川県〉川西宏和

こち亀を初めて読んだのは高校生、今じゃ四十前のおやじだぜ!　〈千葉県〉中野雄二

これからも二〇〇〇回・三〇〇〇回めざしてがんばってください。　〈香川県〉渡辺信弘

二〇〇一年、村瀬再登場まで頑張ってください。　〈東京都〉太田貴之

こち亀千回おめでとう。この調子で二千回までがんばろう。　〈千葉県〉楠本健太郎

まだまだこれから、熱情・人情・気合に根性!がんばって下さい。　〈奈良県〉保田哲弘

次は映画化にむけてがんばって下さい。　〈群馬県〉新井英成

ただ前進あるのみ。これからも両さんを暴れさせてやって下さい。　〈神奈川県〉高田耕助

たった一言、これからもずーっとずーっと続いて下さい。　〈福岡県〉西島潔

連載一〇〇〇回おめでとうございます。アニメも期待しています。　〈福岡県〉山本洋行

二千回、三千回へ向かって快進撃を続けてくれ。応援してるぜ!!　〈埼玉県〉厚海健一

おー千回たっせー。今度は一万回だ!!　〈愛知県〉中村駿介

連載千回おめでとう。私のメッセージが載ったこの本は宝物です。　〈宮城県〉高橋ゆかり

一〇〇〇回以上の記録をがんばって下さい。　〈三重県〉西川弘規

僕が両さんより年上になっても続けていて下さい。　〈大阪府〉正田進也

『こち亀』は読者の読者による読者のための漫画。　〈東京都〉北爪誠司

連載一〇〇〇回おめでとう!!下町の良さを伝え愛される作品でね!!　〈東京都〉安藤芳剛

『こち亀』の楽しさ、おもしろさを生かしギネスをねらえ!　〈京都府〉小林繁

両さんをはじめとするみなさん、千回いってもスマイルでガンバ!　〈兵庫県〉久保隼人

僕も今年二十歳を迎える事ができました。これからも一緒に。　〈茨城県〉高島和浩

中学時代より読みはじめてはや二十余年、今ではいいオジサン。　〈静岡県〉小池克己

本棚に入りきれないですが、これからも続けて下さい。　〈大阪府〉下茅良

一〇〇〇回を喜ぶ一方終わってしまうのではと不安。絶対終わるな。　〈三重県〉植田拓也

一億回めざしてFight(自分が生きてないか)。　〈東京都〉飯泉慶太

こち亀のネタはまだあるハズなので新たに二千回へ向かっていって。　〈高知県〉春田真輔

千回おめでとう。これからも僕たちを一生笑わせてくれ!!　〈福島県〉鈴木武

本棚に単行本が一列にならないよー!!　〈群馬県〉角田秀樹

オレの人生の相棒として、これからもガンバレ。ウォ〜〜〜!!　〈兵庫県〉廣岡篤

千回おめでとう!これからもどんどん進もう。　〈兵庫県〉大西純史

こち亀千回&百巻おめでとう。これからもがんばってね。　〈東京都〉長井政明

第百巻突破オメデトー!これからも僕らに夢と希望と笑いを!　〈福岡県〉重田隆幸

やったぜ千回!めざせ二千回!その時みんな何歳かな?　〈広島県〉浦辻浩

その勢いで一気に二千回をめざしてがんばって下さい!　〈兵庫県〉永田拓

両さんと一緒に連載二千回を目指してがんばれ。　〈愛知県〉岡田有治

やっとゴルゴ13に追いつきましたね。おめでとう!!　〈大阪府〉正田進也

人口一億二千万人の日本の期待をエネルギーにさらなる大記録を!　〈茨城県〉菊池悟

千五百回めざしてこれからも楽しませて下さい。　〈神奈川県〉和田雄二

こち亀は私の人生の教科書だぁ〜♡　〈神奈川県〉加藤ゆう

もっと連載センカイ!祝千回!ガンバレ!こち亀軍団!!　〈愛知県〉加藤康裕

タメ歳のこち亀へ、千回突破おめでとう、まだオレ達これからだ。　〈埼玉県〉田仲淳

『こち亀』っていい響きですよね。　〈静岡県〉田村英樹

鶴は千年亀は万年。そしてこち亀はもちろん一万年。　〈長野県〉坂本光

祝!!千回。二十年の歴史を感じるこち亀バンザイ!　〈富山県〉広岡孝一

両さんの設定年齢を越しつつある。部長の年齢を越えても続けて!　〈神奈川県〉井関薫

進め!こち亀!　〈山形県〉高橋宜弘

やっと、こち亀百巻が本棚に!次はめざせ百五十巻!!　〈北海道〉葛一路

週刊少年ジャンプにこち亀あり!　〈宮城県〉押川洋子

千回達成おめでとう!今度は二千回突破だ!!　〈青森県〉森田悠介

キャラクター全員が個性的なこち亀は、永遠の僕の宝物です。　〈青森県〉成田亮

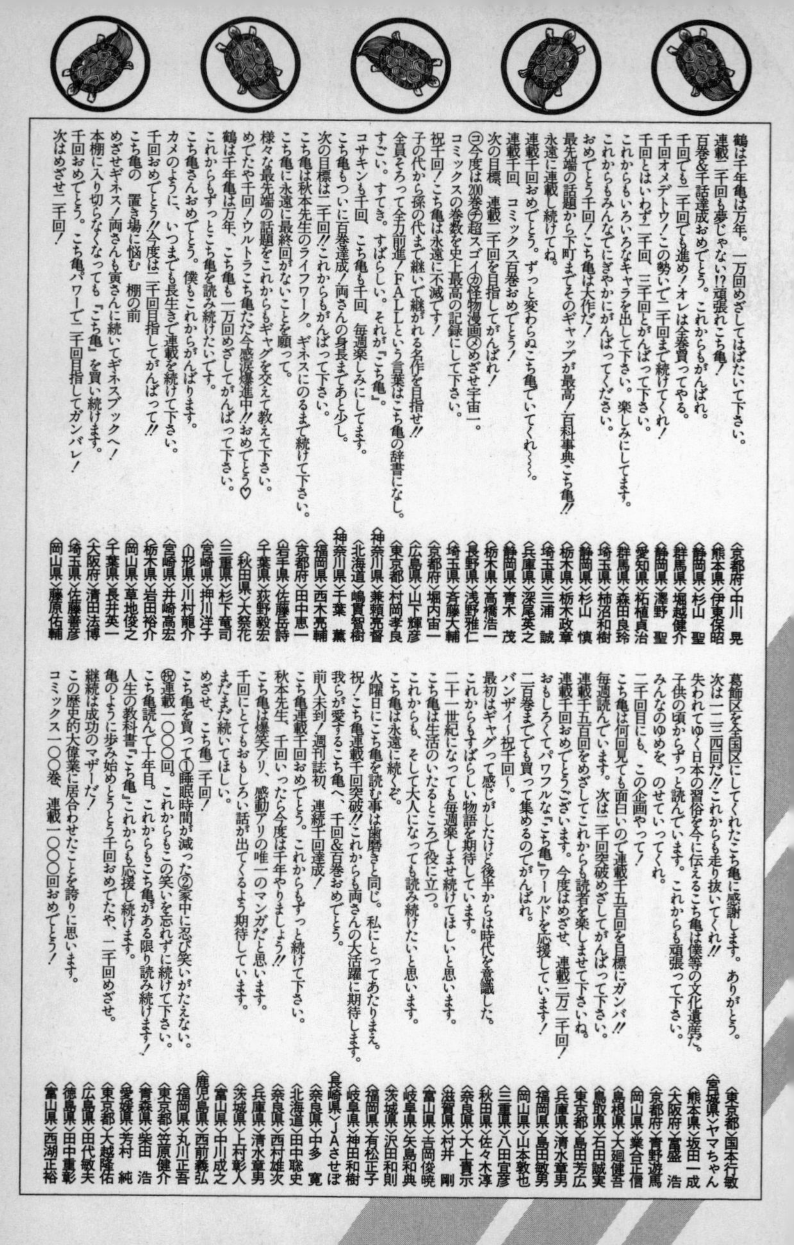

鶴は千年亀は万年。一万回めざしてはばたいて下さい。 〈京都府〉中川 晃
連載二千回も夢じゃない!?頑張れこち亀! 〈熊本県〉伊東保昭
百巻&千話達成おめでとう。これからもがんばれ。 〈静岡県〉杉山 聖
千回でも二千回でも進め!オレは全巻買ってやる。 〈群馬県〉堀越健介
千回オメデトウ!この勢いで二千回まで続けてくれ! 〈静岡県〉瀧野 聖
千回とはいわず二千回、三千回とがんばって下さい。 〈愛知県〉柘植貞治
これからもいろいろなキャラを出して下さい。楽しみにしてます。 〈群馬県〉森田良玲
おめでとう千回!こち亀は大作だ! 〈埼玉県〉柿沼和樹
これからもみんなでにぎやかにがんばってください。 〈栃木県〉栃木政章
最先端の話題から下町までそのギャップが最高!百科事典こち亀!! 〈静岡県〉杉山 慎
永遠に連載し続けてね。 〈埼玉県〉三浦 誠
連載千回おめでとう。ずっと変わらぬこち亀でいてくれ〜〜。 〈兵庫県〉深尾英之
連載千回、コミックス百巻おめでとう! 〈静岡県〉青木 茂
次の目標、連載二千回を目指してがんばれ! 〈栃木県〉高橋浩一
㋙今度は200巻㋠超スゴイ㋕怪物漫画㋱めざせ宇宙一。 〈長野県〉浅野雅仁
コミックスの巻数を史上最高の記録にして下さい。 〈埼玉県〉斉藤大輔
祝千回!こち亀は永遠に不滅です! 〈京都府〉堀内宙一
子の代から孫の代まで継いで継がれる名作を目指せ!! 〈広島県〉山下輝彦
全員そろって全力前進!FALLという言葉はこち亀の辞書になし。 〈東京都〉村岡孝良
すごい。すてき。すばらしい。それが『こち亀』。 〈北海道〉嶋貫智樹
コサキンも千回、こち亀も千回、毎週楽しみにしてます。 〈神奈川県〉兼頼亮督
こち亀もついに百巻達成!両さんの身長まであと少し。 〈神奈川県〉千葉 薫
次の目標は二千回!!これからもがんばって下さい。 〈福岡県〉西木亮輔
こち亀は秋本先生のライフワーク。ギネスにのるまで続けて下さい。 〈京都府〉田中恵一
こち亀に永遠に最終回がないことを願って。 〈岩手県〉佐藤岳詩
様々な最先端の話題をこれからもギャグを交えて教えて下さい。 〈千葉県〉荻野毅宏
めでたや千回!ウルトラこち亀だ今感涙爆進中!!おめでとう♡ 〈秋田県〉大祭花
鶴は千年亀は万年、こち亀も一万回めざしてがんばって下さい。 〈三重県〉杉下竜司
これからもずっとこち亀を読み続けたいです。 〈宮崎県〉押川洋子
こち亀さんおめでとう。僕もこれからがんばります。 〈山形県〉川村龍介
カメのように、いつまでも長生きで連載を続けて下さい。 〈宮崎県〉井崎高宏
千回おめでとう!!今度は二千回目指してがんばって!! 〈栃木県〉岩田裕介
こち亀の 置き場に悩む 棚の前 〈岡山県〉草地俊之
めざせギネス!両さんも寅さんに続いてギネスブックへ! 〈千葉県〉長井英一
本棚に入り切らなくなっても『こち亀』を買い続けます。 〈大阪府〉清田法博
千回おめでとう。こち亀パワーで二千回目指してガンバレ! 〈埼玉県〉佐藤善彦
次はめざせ二千回! 〈岡山県〉藤原佑輔

葛飾区を全国区にしてくれたこち亀に感謝します。ありがとう。 〈東京都〉国本行敏
次は一二三四回だ!!これからも走り抜いてくれ!! 〈宮城県〉ヤマちゃん
失われてゆく日本の習俗を今に伝えるこち亀は僕等の文化遺産だ。 〈熊本県〉坂田一成
子供の頃からずっと読んでいます。これからも頑張って下さい。 〈大阪府〉冨盛 浩
みんなのゆめを、のせていってくれ。 〈京都府〉青野遊篤
二千回目にも、この企画やって! 〈岡山県〉薬合正信
こち亀は何回見ても面白いので連載千五百回を目標にガンバ!! 〈島根県〉大廻健吾
毎週読んでいます。次は二千回突破めざしてがんばって下さい。 〈鳥取県〉石田誠実
連載千五百回をめざしてこれからも読者を楽しませて下さいね。 〈東京都〉島田芳広
連載千回おめでとうございます。今度はめざせ、連載二万二千回! 〈兵庫県〉清水章男
おもしろくてパワフルな『こち亀』ワールドを応援しています! 〈福岡県〉島田敏男
二百巻までも買って集めるのでがんばれ。 〈岡山県〉山本敦也
バンザイ〜祝千回〜。 〈三重県〉八田宣彦
最初はギャグって感じがしたけど後半からは時代を意識した。 〈秋田県〉佐々木淳
これからもすばらしい物語を期待しています。 〈奈良県〉大上貴示
二十一世紀になっても毎週楽しませ続けてほしいと思います。 〈滋賀県〉村井 剛
こち亀は生活のいたるところで役に立つ。 〈富山県〉吉岡俊暁
これからも、そして大人になっても読み続けたいと思います。 〈岐阜県〉矢島和典
こち亀は永遠に続くぞ。 〈茨城県〉沢田和則
火曜日にこち亀を読む事は歯磨きと同じ。私にとってあたりまえ。 〈福岡県〉有松正子
祝!こち亀連載千回突破!!これからも両さんの大活躍に期待します。 〈岐阜県〉神田和樹
我らが愛するこち亀へ、千回&百巻おめでとう。 〈長崎県〉JAさせぼ
前人未到!週刊誌初、連続千回達成! 〈奈良県〉中多 寛
こち亀連載千回おめでとう。これからもずっと続けて下さい。 〈北海道〉田中聡史
秋本先生、千回いったら今度は千年やりましょう!! 〈奈良県〉西村雄次
こち亀は爆笑アリ、感動アリの唯一のマンガだと思います。 〈兵庫県〉清水章男
千回にとてもおもしろい話が出てくるよう期待しています。 〈茨城県〉上村彰人
まだまだ続いてほしい。 〈富山県〉中川成之
めざせ、こち亀二千回! 〈鹿児島県〉西前義弘
こち亀を買って①睡眠時間が減った②家中に忍び笑いがたえない。 〈福岡県〉丸川正吾
㊗連載一〇〇〇回。これからもこの笑いを忘れずに続けて下さい。 〈東京都〉笠原健介
こち亀読んで十年目。これからもこち亀がある限り読み続けます! 〈青森県〉柴田 浩
人生の教科書『こち亀』これからも応援し続けます。 〈愛媛県〉芳村 純
亀のように歩み始めとうとう千回おめでたや、二千回めざせ。 〈東京都〉大越隆佑
継続は成功のマザーだ! 〈広島県〉田代敏夫
この歴史的大偉業に居合わせたことを誇りに思います。 〈徳島県〉田中重彰
コミックス一〇〇巻、連載一〇〇〇回おめでとう! 〈富山県〉西湖正裕

WJ連載1000回！

お祝いメッセージ

# 秋本先生 その他のキャラへ一言！

〈秋本先生へ〉

百巻おめでとう。今度は二百巻めざしてがんばって下さい。
祝千回！僕等がオヤジになるまでずっとバリバリ現役で頑張って!!
JC49巻の6話以降登場しないけど、たまには出てきてね!!
あなたは3回ほど登場してますがもう出ることはないのでしょうか。
これからも不死身の両さんと共に頑張って下さい。
ぜひまた、キャラクターとして出て下さい。
さらにおもしろい『こち亀』で、二千回目指してガンバッて下さい。
千回を記念して、昔のようにもう一度漫画に登場して下さい。
これからもどんどんこち亀をおもしろくして下さい。（両さんと）。
秋本先生も漫画に出演して下さい。
とうとう歴史的漫画家になりましたね。
両さんのようなパワーでこれからも『こち亀』を描き続けて下さい。
私は大ファンです。今度は連載二百回突破をめざして下さい。
秋本治先生、千回の次は二千回突破を！
これからも、『こち亀』をがんばって下さい!!
連載千回突破おめでとうございます。
連載千回一番頑張ったのは秋本先生です。二千回目指して頑張って。
すごいです。ソンケーしてます。がんばって下さい。応援してます。
愛蔵版『こち亀千一夜』を実現して下さい!!
連載一〇〇〇回おめでとうございます。健康に気を付けて下さい。

〈御所河原組長へ〉

これからも、くだらないギャグをいって子分と仲良くね！
親分、チャーミングなんだからぁ♡
世界に感動の嵐を起こすギャグの様な俳句をずっと作り続けて！
あんさんの俳句、ほんまに最高や！出番少ないけど頑張れや!!
最近出番ないですねー。もっと面白い俳句作ってねー。
あの鋭い感性で、これからも一歩前にでた俳句を作って下さい。
全くもって、イイ味出してます。
俳句を詠ませたら日本一、ハイセンスな迷作を作りつづけろ！
そのわけわからん行動と俳句でこれからも暴走し続けて下さい。
また名（迷）句が聞きたいので僕も組に入れて下さい。

〈戸塚へ〉

もう一度背中の彫り物見せて下さい。
もっと出てきて大活躍をしてくれよ！
たまには両さんとコンビを組んで何かしでかして下さい。
両さんにつっこみを入れられるのは貴方だけだ。復活を待つ。

〈千葉県〉石井大輔
〈東京都〉岩崎太郎
〈千葉県〉縄田秀彰
〈東京都〉岡田直之
〈大阪府〉田中大資
〈埼玉県〉馬場太工
〈大阪府〉中平　洋
〈神奈川県〉行天　健
〈千葉県〉前田悠貴
〈三重県〉島地孝浩
〈茨城県〉熊谷　基
〈静岡県〉川口孝之
〈岩手県〉小岩正裕
〈宮城県〉佐々木謙一
〈宮城県〉高橋創一
〈埼玉県〉渡辺ピンクフロイト
〈静岡県〉鈴木真澄
〈青森県〉中岫雄太
〈大阪府〉岡本　剛
〈群馬県〉鎌田裕之
〈神奈川県〉甲斐靖士
〈岩手県〉くまちゃん
〈秋田県〉高橋一樹
〈長野県〉浦野雅明
〈奈良県〉藤原芳幸
〈北海道〉中根　学
〈東京都〉坂本司郎
〈千葉県〉吉泉博司
〈愛知県〉杉原孝充
〈愛知県〉梶山和唯
〈大阪府〉永田雅弘
〈兵庫県〉水谷泰幸
〈千葉県〉内山和紀
〈大阪府〉馬越忠昭

風呂屋で入れ墨をした人をみる度に、兄貴の事を思い出しやす。
両さんと組んで、また大暴れしてくれよ!!
やっぱり両さんの相方は戸塚さんあなたしかいません。
昔みたいに両さんと大暴れして下さい。アニメにも出て!!
やくざな姿で突然現れて、みんなをビックリさせてちょうだい！
両さんに負けない暴れっぷりを、もう一度見せてくれ。

〈星逃田へ〉

ワンマンショーをもう一度！
これからもかっこよくがんばって下さい。
カツラを頼むならうちへどうぞ。
その頭でいつまでも光り続けていてね。
たまには登場してこち亀に劇画の風を吹かせて下さい。
絶対生えてくる育毛剤を、適価で譲ります。
落ちぶれるのはまだ早い！もう一度ブレイクしてくれ！
最近顔出さないけど殉職したんですか？
これからもそのハゲしいアクションで活躍してくれたまえ。
愛用のモーゼルより威力抜群の新兵器を久々に見たいです。

〈チャーリー小林へ〉

アグネス・ラムのように安全バンドをひき連れて戻ってきて。
がんばってスターになるんだぞ。
また復活して、バンドを結成して下さい。
あのメチャクチャなコスチュームで再登場して下さい。
大復活してくれ！チャーリー！チャーリー！
また売れないレコードを出してがんばってください。
今どこにいるかわからないけど、流行に流されずにがんばれ！
明るい話題でこち亀に登場できるように、何とかがんばって下さい。
あなたの姿をTV（音楽番組）で見たい!!
オイラはロッカー。駅のと違うぜ。ヘイ ベイビー イエーイ！

〈派出所の犬へ〉

初登場から両さんにオモチャにされた頃が今でもスゴクなつかしい。
早く名前をつけてもらえるようにがんばってください。
どこへ行ったんだ。お前を待っているぞ。カムヴアーック！

〈絵崎教授へ〉

これからも世界中の車を乗りつぶしていって下さい！
教授の楽しく変な旅行日記を、もっともっと読みたいです。
車の運転うまくなれ。
また新しい車に乗って両さんの所に遊びにきて下さい。

〈兵庫県〉義間正和
〈奈良県〉高田柚子彦
〈千葉県〉秋谷　晃
〈愛知県〉壁谷昌伸
〈愛知県〉岩越俊明
〈大阪府〉芳村　純
〈大阪府〉田村大地
〈群馬県〉青木　健
〈高知県〉植田智人
〈京都府〉山本育生
〈三重県〉栗山　章
〈宮城県〉加藤和志
〈埼玉県〉吉田秀夫
〈神奈川県〉中山佳明
〈大阪府〉山之内孝
〈岡山県〉山本敦也
〈東京都〉田辺賢司
〈福島県〉吉川聡史
〈北海道〉成瀬健太
〈埼玉県〉熊倉政幸
〈栃木県〉栗橋秀治
〈愛知県〉鈴木啓介
〈兵庫県〉杉木　尚
〈宮城県〉木村厚允
〈長崎県〉出口健太郎
〈群馬県〉中林大樹
〈東京都〉粕谷康博
〈徳島県〉鎌田充伸
〈群馬県〉木下将輝
〈茨城県〉杉本一徳
〈静岡県〉剣持由美
〈兵庫県〉松本純一
〈神奈川県〉土田泰司

何をやっても裏目に出てしまうというキャラが自分とダブります。影はうすいけどそのうちいい事あるさ。まあがんばれよ！
〈寺井へ〉

両さんのことを一番よくわかっている寺井君。これからもファイト！
〈麻里　愛へ〉

何とか両さんと結婚できないものでしょうか？
美人のマリアちゃんが好き！もっともっと出演してね♡
両さんとの結婚は近い！がんばれがんばれ!!
〈ボルボ西郷へ〉

今まで破壊してきた物の修理費で借金地獄じゃないですか!?
過去の栄光をたたえ、極上のストリッパーとして認めてあげよう。
〈両津勘兵衛へ〉

これからもR・G・Cを続け、お金持ちになって頑張って下さい。
その元気で、めざせ長寿世界一！
〈インチキ不動産屋の刄生へ〉

あなたのところの怪しい物件を僕にも紹介して頂きたいですなあ。
バブル後遺症にめげず、楽しい珍住宅をみせて。
〈爆竜大佐へ〉

ジョディーさんの花婿候補になりたいのですが、おねがいします。
僕はあなたの部隊へ入りたい。もっと強い部隊に!!
〈ジョディーへ〉

ボルボとお幸せに♡
いつか結婚してママになって、母娘でサバイバルして〜〜〜♡
〈海パン刑事へ〉

いつもはだかで元気だぞ!!
風邪をひかず事件を解決していってくださ〜い！
〈乙姫菜々へ〉

本田さんと無事ハッピーエンド（結婚）して下さい。
とってもかわいいぞ。本田とつきあってあげよう。
〈忘田へ〉

君の存在をすっかり忘れていたかも？思い出したから出てきて！
自分の出番を忘れずにガンバッテ下さい。
〈白鳥麗次へ〉

いきなり出てきてポルシェをエンストさせるな！
これからも悲惨な人生を送ってくれ。
〈中川龍一郎へ〉

72時間働くようがんばれ。

〈神奈川県〉小嶋一幸
〈滋賀県〉髙木晶生
〈和歌山県〉田中秀和
〈福島県〉岡崎正史
〈福岡県〉小倉有紀
〈高知県〉中村明日香
〈神奈川県〉山口雄三
〈三重県〉中島　聖
〈徳島県〉原田　翔
〈群馬県〉前川智也
〈神奈川県〉小長谷祐介
〈栃木県〉大関正人
〈島根県〉小早川靖
〈東京都〉山本篤志
〈千葉県〉高久道子
〈東京都〉牧野仁美
〈山梨県〉三枝寛常
〈石川県〉喜多直人
〈大阪府〉岩永高生
〈千葉県〉楠本健太郎
〈埼玉県〉小林健二
〈千葉県〉石毛孝史
〈愛知県〉鈴木伸輔
〈岡山県〉山本　聡
〈富山県〉吉岡俊暁

最近出ないんで訪ね人に載せようと思ったほどです。
〈丸出ダメ太郎へ〉

ベーゴマ魂で友情を深めた幼少時の感動を二十一世紀にもう一度！
〈村瀬賢治へ〉

とにかく連載にでて、レギュラーめざし翻堕羅拳で暴れまくれ！
〈麻里　晩へ〉

走る交通法規のあだ名通り、安全運転指導に尽力してください。
〈石頭鉄岩へ〉

たのむからもう一度出てきて、ぼくを笑わせてくれ。
〈後流悟十三へ〉

壊されたり傷つけられているけど、これからも変わらずにね。
〈派出所へ〉

たまにはAVだけじゃなく、洋画も見てね。
〈両津銀次へ〉

両さん産んでくれてありがとう。
〈両津よねへ〉

両さんとのボーナス争奪戦、これからも末長くがんばれ！
〈プラモ屋の山田へ〉

行き場のないストレスを抱え込んだ彼の人生の悲哀を感じました。
〈田中一朗へ〉

またおもしろい四文字熟語の経文で僕たちを笑わせてね！
〈神さまへ〉

最近、何をしているんですか？
〈珍吉へ〉

いつか、突然タクシーで出演してきて、大ボケをかまして下さい。
〈久保田吾作へ〉

家族の団らんを大切に仕事がんばって下さい。
〈秋本飛々丸へ〉

両さんのおかげで倒産したけど、その後どうしたのですか？
〈四ツ木玩具の社長へ〉

何万点もの点数券を持ってる両さんをガックリさせて下さい!!
〈カタ屋へ〉

他のだれも知らなくても、オレは知っている。忘れない！
〈3PXRへ〉

これからは地図をもってがんばって!!
〈JC一巻一話目の道を尋ねに来たおじさんへ〉

〈福岡県〉内田大助
〈長野県〉山崎匡一
〈千葉県〉香山　浩
〈静岡県〉剣持高志
〈東京都〉田村　守
〈神奈川県〉北田　貢
〈山形県〉高橋宣弘
〈東京都〉君島　富
〈愛知県〉伊藤彰夫
〈茨城県〉吉原省吾
〈静岡県〉芹澤光一
〈奈良県〉川本仁志
〈大阪府〉佐藤賞将
〈京都府〉田中恵一
〈神奈川県〉平泉元彦
〈群馬県〉桜井磨塚
〈埼玉県〉竹日忠芳
〈北海道〉谷野宏樹

※たくさんのハガキ本当にありがとうございました。惜しくも載らなかった方、御免なさい。

■ジャンプ・コミックス

こちら葛飾区亀有公園前派出所

読者が選ぶ傑作選

1996年12月7日　第1刷発行

著者　秋本　治



編集　ホーム社
東京都千代田区一ツ橋2丁目5番10号
〒101-50
電話　東京　03(5211)2651

発行人　後藤広喜

発行所　株式会社　集英社
東京都千代田区一ツ橋2丁目5番10号
〒101-50
03(3230)6233(編集)
電話　東京　03(3230)6191(販売)
03(3230)6076(制作)
Printed in Japan

印刷所　図書印刷株式会社



ISBN4-08-852690-2 C9979